LES ÉDITIONS DES INTOUCHABLES
5, rue Sainte-Ursule
Québec (Québec)
G1R 4C7
Téléphone : 418 692-0377
Télécopieur : 418 692-0605
www.lesintouchables.com

DISTRIBUTION : PROLOGUE
1650, boul. Lionel-Bertrand
Boisbriand (Québec)
J7H 1N7
Téléphone : 450 434-0306
Télécopieur : 450 434-2627

Impression : Marquis
D'après l'idée de Marc Britan
Mise en page : Paul Brunet
Illustration de la couverture : Géraldine Charette
Révision : Élyse-Andrée Héroux, Patricia Juste Amédée
Correction : Érika Fixot

Les Éditions des Intouchables bénéficient du soutien financier du gouvernement du Québec — Programme de crédit d'impôt pour l'édition de livres — Gestion SODEC et sont inscrites au Programme de subvention globale du Conseil des Arts du Canada.

Nous reconnaissons l'aide financière du gouvernement du Canada par l'entremise du Fonds du livre du Canada (FLC) pour nos activités d'édition.

Conseil des Arts du Canada
Canada Council for the Arts

Dépôt légal : 2013
Bibliothèque et Archives nationales du Québec
Bibliothèque et Archives Canada

ISBN : 978-2-89549-604-5
978-2-89549-630-4 (ePUB)

SOS paparazzi

Jade Bérubé

Dans la même série

Nikki Pop, Le rêve d'Émily, roman, 2011.
Nikki Pop, Le premier contrat, roman, 2011.
Nikki Pop, À l'aventure !, roman, 2011.
Nikki Pop, Les auditions, roman, 2012.
Nikki Pop, À StarAcAdo !, roman, 2012.

Chez d'autres éditeurs

Komsomolets, Montréal, Marchand de feuilles, 2004.
Le rire des poissons, Montréal, Marchand de feuilles, 2008.

Jade Bérubé

D'après l'idée de Marc Britan

6. SOS paparazzi

LES INTOUCHABLES

Pour Clarisse,
et pour tous les passionnés de musique

Les tranchées se creusent dans ma tête,
J'y enfouis les pièces de casse-tête,
Et ma bombe à retardement.

— Tire le coyote, *Bombe à retardement*

1.

— Je peux pas croire que je vais voir Sarah-Jeanne Biain dans mon café !

Juché sur une échelle pour placer les projecteurs, Alain radote depuis au moins une heure et demie.

— Je te signale que c'est moi qui gagne le concours de la Rencontre la plus énervante de l'univers, pas toi, répond Émily en pigeant allègrement dans un sac de chips aux oignons.

— Oui, c'est sûr…, fait Alain, dépité, en s'immobilisant dans les airs comme si on venait de lui apprendre qu'un tsunami va raser la planète entière.

Depuis que son père s'est retrouvé en première page de la célèbre revue *Fun Fun*, Émily a en effet l'impression de jouer dans un film catastrophe. Mais elle attend toujours que Liam Hemsworth vienne la secourir.

— Il a fait la page couverture AVANT moi!! s'est-elle écriée devant Emma et William, tandis qu'ils se trouvaient tous trois dans le local d'impro, plusieurs jours après la parution de la revue.

C'était absurde. Elle avait fait ce constat ridicule uniquement pour trouver quelque chose à dire contre son père. Pour laisser éclater sa colère. EN PLUS d'être parti, son père avait fait la couverture de *Fun Fun* avant elle. Or, elle se fichait complètement de la couverture. Mais que dire d'autre? N'était-ce pas ce dont elle rêvait depuis tout ce temps? Qu'il se manifeste enfin? Alors, pouvait-elle vraiment être fâchée?

— Prends pas cet air-là, Alain, ajoute pourtant Émily, la bouche pleine. J'essaie de faire de l'humour. Faut bien que j'exorcise.

— La rencontre la plus énervante de l'univers! s'exclame Emma du comptoir avec un rire forcé. Excellent!!

— Mets-en pas trop quand même, Emma, rétorque son amie.

— Mais c'était effectivement une bonne blague, insiste Emma en souriant gentiment, avant de poursuivre le nettoyage des verres alignés devant elle.

— Est-ce que les gens vont continuer longtemps à me traiter comme si j'avais une maladie incurable? demande Émily en froissant le sac de chips vide.

— Quand je pense que je vais voir Sarah-Jeanne Biain…, répète Alain.

Émily reste prostrée sur son tabouret en regardant ses amis préparer la soirée. L'événement Facebook a récolté des centaines d'inscriptions.

« EN CONCERT AU DÉBARRAS, SARAH-JEANNE BIAIN EN SOLO. INVITÉE SPÉCIALE : ÉMILY DE STARACADO. »

La jeune chanteuse n'est pas dupe : c'est son nom à elle qui a provoqué la frénésie. Mais l'idée de revoir Sarah-Jeanne l'enthousiasme. Et il y a des semaines qu'elle entend parler du succès des spectacles du Débarras sans jamais pouvoir y assister. Pour sa soirée de congé de StarAcAdo, elle s'est offert ce cadeau : chanter devant ses amis.

— Émily, tu veux bien faire les tests de son, puisque Sarah-Jeanne n'est pas arrivée ? demande William qui tripatouille la console. Tu vas me faire ça facilement. Tu es une « professionnelle » maintenant…, ajoute-t-il, railleur.

Mais Émily est perdue dans ses pensées. Que dira son père demain ? Comment devra-t-elle se comporter ? Doit-elle l'appeler « papa » ? Ou « père » ? « Bonjour, père. » Tellement « top trop ». Mais en même temps, le mot « papa » ne convient pas non plus. « Monsieur » ?

— Émily ?

« Monsieur » ne convient pas non plus. Et pourtant, c'est ce qu'Émily a pensé en voyant le visage de son géniteur. Un monsieur inconnu. Un monsieur qui n'hésite pas à dire : « J'ai été un mauvais père. » C'est la petite phrase imprimée sous son visage. En noir et rouge.

« AUJOURD'HUI DANS *FUN FUN* : LE PÈRE D'ÉMILY DE STARACADO SE CONFIE : "J'AI ÉTÉ UN MAUVAIS PÈRE." »

— Em ? fait la petite voix d'Emma.

— Arrête de m'appeler Em ! grogne Émily.

— Ah, ça marche, se réjouit Emma. Tu vois, Will, il suffit de l'appeler Em.

— Ça va, mon cœur ? demande William en s'approchant doucement d'Émily.

— BEN OUI ! Pourquoi tu demandes ça ? répond-elle avec impatience. JE VAIS TRÈS BIEN. Tout va très bien.

Emma fronce les sourcils en regardant William, dont le visage reste chiffonné par l'inquiétude.

— Pis, as-tu choisi ce que tu vas chanter tantôt ? demande Emma avec un excès d'enthousiasme.

— Ouais, je vais chanter *Flume* de Bon Iver. Je trouve que ça marche avec le répertoire de Sarah-Jeanne. Tsé, du folk ? Elle m'a dit qu'elle allait faire l'accompagnement à la guitare pour moi.

— Bon choix, dit William.

— Je pense que ça va être une musti soirée !

— Quand je pense…, commence Alain en redescendant de l'échelle.

— Mon père est aussi énervé que toi, s'esclaffe William en regardant Alain.

— Ton père vient ce soir ?

— Oui.

— Il faut pas qu'il dise que c'est la fille du célèbre chanteur Pierre Biain ! rappelle Emma avec une petite voix aiguë de maîtresse d'école contrariée.

— Ben non, ben non, il l'a dit à personne.

— T'es sûr ?

— Certain. Il parle fort mais il sait garder un secret.

— C'est normal que Sarah-Jeanne ne veuille pas que ça se sache, renchérit Elton du fond du café, où il est occupé à passer un linge sur les tableaux au mur. Avoir un père célèbre, ça doit pas être facile, pis…

— Pis c'est ça qui est ça, conclut Emma sur un ton ferme en faisant les gros yeux à son ami.

— Non, mais c'est vrai ! Quand tout le monde sait qui est ton père…, poursuit-il sans comprendre la réaction d'Emma.

— C'est pas si pire que ça, insiste Emma.

— Voyons, Emma, continue Elton en haussant le ton. Tout le monde doit lui parler de son père tout le temps ! Ça doit être vraiment…

— Fatigant, effectivement, donc on CHANGE DE SUJET ! jappe Emma en lui faisant de grands signes.

— Quoi ? ! fait-il.

— Emma ne veut pas qu'on dise le mot « père » devant moi, intervient Émily en tournant négligemment sur son tabouret.

Les quatre amis s'immobilisent en regardant Émily tournoyer devant le comptoir. Réalisant qu'il se passe quelque chose, celle-ci s'immobilise à son tour et les regarde avec surprise.

— Qu'est-ce qu'il y a ?

— Émily, on sait plus sur quel pied danser, répond doucement Alain en s'asseyant à côté d'elle.

— Mais j'exorcise !

— Peut-être, mais le problème, c'est qu'on commence à avoir besoin d'exorciser nous aussi, rétorque Emma en déposant un verre immaculé devant elle. Je viens de laver le même verre quatre fois de suite. Ça peut plus durer, c'est musti tendu comme ambiance.

Émily jette un œil à William, qui lui adresse un sourire gêné.

— C'est vrai ? lui demande-t-elle.

— Un peu, lui répond-il.

— As-tu parlé à ta mère ? demande Alain pour la millième fois en posant sa main sur le genou de sa nièce.

— Oui. Elle est vraiment fâchée que mon père ait choisi ce moyen-là pour revenir dans nos vies ! se contente de répondre Émily alors qu'Emma, Elton et William viennent également s'asseoir autour d'elle. Je l'ai jamais vue aussi en colère de toute ma vie.

— Mais est-ce que... est-ce qu'elle t'a dit... ? tente maladroitement Alain.

— Non. Elle préfère qu'on se parle après ma rencontre avec lui. Pis c'est demain, alors...

Alain soupire en essuyant ses mains moites sur son pantalon bariolé, puis se retire à la cuisine.

« Il sait visiblement quelque chose, lui... » pense Émily.

— On peut encore annuler pour ce soir, souffle William en plongeant ses yeux verts dans ceux de la jeune fille. T'as le droit d'être à l'envers. Tu le sais ?

— Je pense..., commence Emma. En fait, je crois qu'il faut que tu arrêtes de te faire croire que ça va bien.

— J'exorcise ! ! répète Émily en souriant.

— En mangeant un sac de chips aux oignons ?

— Exactement !

Émily regarde tour à tour ses amis en souriant de plus belle. Que ferait-elle sans eux ? Puis son sourire craque, et elle éclate en sanglots.

— Ça va te faire du bien de pleurer, dit Emma en lui massant le dos comme si elle pétrissait de la pâte à pain.

— Veux-tu un autre sac de chips ? demande Elton en lui pressant l'épaule.

William se contente de lui prendre la main. Et c'est alors que Sarah-Jeanne fait son entrée avec son étui de guitare et ses cheveux emmêlés.

— Salut ! Oh, qu'est-ce qui se passe ? demande-t-elle en restant figée sur le seuil.

— Je répète, répond Émily en essuyant ses larmes. Moi, le folk, ça me déprime à mort.

— Nounoune, lâche Emma avant d'éclater de rire.

2.

— Tu es prête, ma loulou?

— Ouais.

— T'es sûre de vouloir y aller? T'es pas obligée.

— Mamaaaan! On est rendues devant sa maison. Ça aurait l'air un peu débilos de revirer de bord.

— Et alors?

— Non, je te jure sur la tête de mon iguane, ça va aller.

« Ouais... »

Émily inspire profondément en s'agrippant au cuir du siège d'auto. Sa mère semble sur le point d'imploser.

— Toi, maman, veux-tu toujours y aller?

Annick regarde sa fille d'un drôle d'air.

— Ben oui, voyons, assure-t-elle en chassant une mouche imaginaire devant son visage. Pourquoi tu demandes ça ?

— Pour rien.

Émily et sa mère sortent de la voiture et empruntent l'allée vers la maison de l'homme qui a un jour, sans un mot, quitté leur vie.

« C'est pas une maison, ça. C'est plutôt une grange », se dit Émily en observant les planches de bois clouées les unes aux autres, au milieu d'un rang désert.

— Il a dû la construire lui-même, lance Annick d'une voix qui tremble un peu. Il a toujours été bon dans ces affaires-là.

— Je dirais pas qu'il est si bon que ça, moi, répond Émily, vu l'allure de la bâtisse.

La maison semble tout droit sortie d'un film d'horreur. Du début d'un film d'horreur. Quand il fait encore clair. Et que tout le monde dans la salle sait que la maison est hantée, sauf les héros. En l'occurrence, Émily et sa mère.

« C'est un jardinier », se répète Émily pour se rassurer. Elle l'a lu dans la revue. Son père cultive un potager qui fournit les grands hôtels de la région. Voilà pourquoi la maison se dresse au milieu d'un champ, couvert ce jour-là des dernières neiges printanières.

« Ce n'est pas pour attirer en douce une adolescente et sa mère afin d'en faire un méchoui sauce piquante sans que personne ne le voie. Relaxe, ma vieille. Tu écoutes trop la télé. »

— C'est complètement désert ici…, lâche Annick.

Mais avant qu'Émily ait le temps de vérifier si sa bombe anti-agression se trouve dans son sac, la porte d'entrée s'ouvre sur un homme barbu. Un homme qu'Émily reconnaît tout de suite : c'est lui qu'elle a vu sur la couverture de la revue *Fun Fun*. Et la première pensée qui lui vient à l'esprit, c'est qu'il ressemble à son oncle Alain. En plus robuste. En moins sympathique. Il a le même nez qui rougit. Un autre Faubert. Son père.

— Salut, dit Annick, figée sur le perron.

L'ambiance est si lourde qu'Émily a envie de crier : « BLAGUE ! »

— Entrez, fait l'homme de la revue en trébuchant sur le seuil de la porte. Je vous… j'attendais à la fenêtre.

— Il y a pas de journaliste en dedans ? demande Annick froidement.

— Ben non, franchement. J'ai même dû faire venir la police pour en chasser quelques-uns. C'est une vraie farce, ce qui arrive.

— Tu l'as bien cherché…, dit encore Annick avant de réaliser que sa fille, extrêmement mal à l'aise, est en train de se décomposer sur place. Viens, Émily.

Celle-ci franchit les quelques pas qui la séparent du seuil comme dans un cauchemar. L'air est comme de la mélasse. Elle n'ose pas regarder l'homme en face. Ses yeux parcourent tout le reste. Les murs en bois. Les chaises dépareillées. Le piano. Le tapis élimé. La beauté des meubles sculptés à la main. Puis elle se souvient : son père a été ébéniste.

— Pourquoi ? murmure-t-elle soudain.

Le mot est sorti de sa bouche comme une balle de baseball éjectée d'une machine comme celles qu'Émily trouvait chaque année à la foire de York. Elle se revoit toute petite avec sa batte beaucoup trop lourde, tétanisée par la peur de recevoir une balle en plein visage.

Annick et l'homme ne bronchent pas. Alors, Émily plante ses yeux dans ceux de son père.

— Pourquoi tu es parti ? précise-t-elle, debout, sans bouger.

Le nez de l'homme rivalise avec la pivoine préférée de Jean-Pierre, le jardinier.

— On va s'asseoir pour parler de tout ça, d'accord ? répond-il, visiblement aussi mal à l'aise qu'Annick. Voulez-vous quelque chose à boire ?

— Je veux juste savoir pourquoi t'es parti, répète Émily sur un ton neutre, avec un aplomb qui la surprend elle-même. Après, on s'en va.

— Tu lui as rien dit ? demande Benoît à Annick, l'air aussi triste que surpris.

— Non. Elle a jamais voulu que je lui en parle.

Émily sent le goût du sang lui emplir la bouche. Elle réalise qu'elle se mord la lèvre depuis son arrivée et que ses dents sont plus coupantes qu'elle ne le pensait. Annick se laisse tomber lourdement sur un fauteuil, visiblement bouleversée.

— Émily, je tiens à te dire tout de suite que j'ai intenté une poursuite contre cette revue malhonnête, dit son père en pesant ses mots. Je me suis fait avoir comme un idiot. Une dame m'a appelé. Et avant que je puisse m'en rendre compte, elle savait tout sur moi. Je pensais que c'était pour un reportage sur mon entreprise. Puis, tout à coup, elle s'est mise à me poser des questions sur les enfants. Si j'en avais… et…

Émily observe le nez rouge de cet homme avec un étrange sentiment de déjà-vu. Elle chasse rapidement cette pensée pour se concentrer sur ses paroles.

— J'ai été… complètement… manipulé, ajoute-t-il d'une voix fragilisée par l'émotion. Je n'aurais jamais fait une chose pareille de mon plein gré, je veux que tu me croies. Il faut que tu me croies, Émily.

Annick se prend la tête à deux mains.

— C'est un cauchemar, murmure-t-elle.

— Oui, c'est un cauchemar pour tout le monde, ajoute simplement l'homme.

« Sauf pour madame Mignault », ne peut s'empêcher de penser Émily.

La directrice de StarAcAdo trépigne de joie depuis des jours devant les possibilités que peut représenter la publication d'une telle histoire dans les journaux. C'est uniquement parce que la mère d'Émily est l'avocate la plus connue du pays que les dégâts médiatiques ont pu être évités. Madame Mignault exigeait une rencontre père-fille entièrement filmée et relatée dans ses moindres détails dans tous les médias écrits.

« Et quoi encore ? Ils vont se mettre à vendre mes gommes prémâchées sur eBay ? »

— Pourquoi ? demande de nouveau Émily.

Elle sent son cœur battre dans la plaie sur sa lèvre.

Benoît Faubert expire douloureusement devant son ex-conjointe et sa petite fille devenue une jeune femme. Une jeune femme qu'il ne connaît pas.

— C'était trop difficile pour moi de rester, tente-t-il en regardant Annick. Je… Ta mère…

— Ton père était malheureux avec moi parce que je ne l'aimais pas, dit précipitamment Annick, volant à son secours.

Un silence s'installe un instant.

— Juste pour ça, prononce lentement Émily, aux prises avec le plus gros tournimini de l'histoire des tourniminis.

— Oui, juste pour ça, répète son père en déglutissant. Ta mère… ta mère était amoureuse de quelqu'un d'autre. C'était trop difficile à supporter… pour moi.

— Ça vous tentait pas de juste divorcer comme les gens normaux ? crie Émily, qui se moque bien, en ce moment, des conséquences de ce cri sur ses précieuses cordes vocales.

« Désolée, madame Gentilly, mais c'est un cas de force majeure. »

— J'étais amoureuse de son frère, laisse enfin tomber Annick, la main sur les yeux. De ton oncle, Émily.

Au début, c'est le noir total. Émily se souvient d'un ciel d'été sans étoiles et sans lune dans lequel elle s'est perdue en allant rejoindre ses compagnons du camp Étoiles et Sons. Elle sent en elle le vide, une absence de repères, où rien n'existe d'autre que son souffle dans l'espace. Puis, en un choc, les mots redeviennent des mots. Les couleurs se surexposent. La réalité revient comme un éclair lumineux et aveuglant. Brûlant.

— Est-ce qu'Alain est mon père ? articule-t-elle difficilement, comme si sa bouche était remplie de cailloux.

— Non, répond Annick d'une voix blanche. Alain… Alain ne m'aimait pas.

Émily entend distinctement le tic-tac d'une horloge qu'elle ne parvient pas à repérer dans la pièce.

— Je veux m'en aller maintenant, déclare-t-elle.

3.

— Tu rigoles ? Selena Gomez a bien le droit de faire ce qu'elle veut ! D'autant plus que… Émily ! Comment ça s'est passé ? ! crie Kumba qui s'éjecte du divan comme un ressort pour aller à sa rencontre.

— Mal, se contente de répondre Émily, dans l'embrasure de la porte de la Grande Maison.

— RACONTE ! s'égosille son amie en écarquillant les yeux.

Émily sent ses épaules se détendre d'un coup. Elle est de retour à l'Académie. Jérémie et Amanda, assis sur les canapés, la dévisagent comme si elle avait gagné un concours de feux sauvages. Ils ne sont plus que quatre à partager les lieux. Et étrangement, ils se retrouvent presque toujours dans la même pièce, malgré la rivalité qui se fait sentir de plus en plus. Avec

Amanda et Kumba en danger cette semaine, la tension est à couper au couteau. Mais Émily avait autre chose en tête ces derniers jours…

— Oh, seigneur, qu'est-ce que je dis ! se ravise Kumba en se plaquant la main sur la bouche. Ne raconte rien. Pas ici. Pas avec les caméras.

— Je m'en fous, des caméras, si tu savais ! répond Émily en jetant son sac par terre. Si ça se trouve, le monde entier va être déçu. Il y a pas grand-chose à raconter.

Elle retire ses bottes et va s'asseoir à son tour, suivie de Kumba dont la curiosité est à son comble.

— Est-ce que c'était bel et bien ton père ? demande-t-elle en joignant les mains.

— Franchement, Kumba, fait Jérémie, tu parles d'une question. Bien sûr que c'était lui !

— Ben quoi ? Elle disait qu'elle se rappelait même plus de quoi il avait l'air ! Ça aurait pu être un imposteur !

— C'était le vrai, murmure Émily.

— Tu as vu comme les gens sont débiles autour de nous ? renchérit Kumba, suivant le fil de sa pensée. Je reçois des lettres de fans qui me terrifient toutes les semaines, alors tout est possible.

— Qui te terrifient ? répète Amanda avec une grimace.

— Ben oui ! Moi quelqu'un qui m'envoie une photo d'un autel à mon effigie au milieu de son salon, ça me fait peur. J'ai même eu une lettre d'une fille qui dit avoir fait un voyage astral avec moi pendant la nuit. Sérieux. Les gens feraient n'importe quoi pour attirer l'attention. Surtout autour d'Émily.

— Tu reçois des lettres toutes les semaines ?

— Pourquoi « surtout autour d'Émily » ? s'enquiert Amanda en plissant les yeux.

— Allooo ? La Terre appelle Amanda ! C'est la plus populaire de nous quatre, réplique Kumba.

— Ah ça..., répond nonchalamment Amanda. Oui, pauvre toi, Émily. Je sais pas comment tu fais.

Kumba lève les yeux au ciel. Amanda joue son grand jeu de la gentille fille devant les caméras cachées. En attendant de mettre de l'arsenic dans le dessert de ses rivales.

— Attends-toi à voir débarquer des faux frères, des fausses sœurs..., continue Kumba à l'intention d'Émily.

— Ouais, j'ai déjà une fausse *best* et un faux amoureux, dit Émily en pensant aux entrevues que donne Marie-Pier dans divers magazines.

— Un faux amoureux ? demande Jérémie. Qui ?

— Ben, toi!

— Ah, fait-il en prenant un air grave.

— Tsé, « les Saint-Preux » ? poursuit Émily, singeant madame Mignault. Avoue que tout le monde veut qu'on soit des amoureux. Même l'équipe de StarAcAdo essaie de faire de nous un couple! Alors, les amis, ajoute-t-elle sur un ton insistant en s'adressant aux caméras cachées, NOUS NE SORTONS PAS ENSEMBLE.

— Vous saviez qu'une fille s'est fait tatouer mon visage sur le mollet ? lance Jérémie, changeant brutalement de sujet.

— Non ? ! s'exclame Amanda, intéressée.

— Ouais.

— Tu l'as vue ?

— Elle a envoyé une photo, précise Kumba. Le visage de notre mignon est inscrit à vie sur un mollet. J'avais presque envie de mettre cette photo dans ma chambre pour garder le moral.

— Tu as vu la photo ? l'interroge Jérémie, surpris.

— Tu l'as laissée traîner toute une soirée pour qu'on la voie, *yo*, rétorque Kumba en riant.

— Hé ! Je veux la voir ! fait Amanda en pouffant.

— Elle est dans sa chambre, dit Kumba. Va voir.

— NON, personne va dans ma chambre, rugit Jérémie.

— Pourquoi ? Qu'est-ce que tu caches ? Un vocodeur ?

— Hahahaha, très drôle, répond-il. Non, je chante bien naturellement. Même si ça t'écorche de l'admettre, Kumbalala.

Émily sourit pour la première fois de la journée. Jérémie vient de recevoir un coussin en pleine figure et tente de faire une clé de bras à Kumba qui hurle à pleins poumons.

— Attention à ta voix, Kumba ! prévient Amanda sur son ton gentillet.

— Voyons, Amanda, réplique Jérémie en resserrant son étreinte, elle a déjà la voix éraillée, notre Kumba. Alors, un peu plus ou un peu moins…

— T'es vraiment idiot. OK, je me rends. Lâche-moi maintenant.

— Qui est le meilleur ? demande Jérémie en profitant de son pouvoir momentané.

— C'est toi. Lâche-moi.

— Le plus beau ?

— Jérémie ! ! s'esclaffe-t-elle.

Émily éclate de rire à son tour. Jérémie lui fait un clin d'œil complice avant de relâcher Kumba, qui s'empresse de replacer son afro avec ses longs doigts.

— Tu sais qu'il y a des garçons qui reçoivent des compliments sans avoir recours à la force ? dit Kumba, malicieuse.

— Ah bon ? fait Jérémie faussement étonné.

— Alors, ton père ? lance Amanda à Émily, d'une petite voix engluée de compassion feinte.

Émily se rembrunit aussitôt. Voyant Jérémie jeter un regard noir à Amanda, elle comprend que cette mise en scène avait pour but de la divertir un peu.

— Je pense que j'ai pas trop envie d'en parler finalement, répond-elle. Disons que c'était pas des retrouvailles comme dans les films américains avec des larmes et des embrassades.

— C'est pour ça qu'on m'a pas demandé de chanter en direct pendant votre rencontre ! blague Kumba. J'avais pensé à *Mirrors* de Justin Timberlake. Tsé ? Nous sommes pareils, éloignés et retrouvés…

— Non, c'était plutôt *Give Me a Reason* de Pink, précise Émily.

— Ah bon ? Pourquoi ?

Mais Émily n'a pas le temps d'expliquer sa réponse. Madame Mignault entre dans la Grande Maison, suivie d'un caméraman, son immense machine à l'épaule.

— Dans vos chambres, jeunes gens. Bonne nuit. Une longue journée d'école et de répétitions vous attend demain. Émily, ajoute-t-elle, reste ici. Je veux te parler.

Les trois candidats quittent le salon en rechignant. Émily soupire.

« Quoi encore ? »

Madame Mignault s'installe devant elle en un élégant mouvement. Elle plaque sur son visage son sourire le plus racoleur.

— Émily, on a eu une demande de *Fun Fun* pour une longue entrevue exclusive et une page couverture.

— Depuis quand ils demandent la permission avant de se présenter pour faire des interviews ? raille Émily.

Madame Mignault cille avant de faire comme si elle n'avait pas compris l'allusion.

— C'est une excellente nouvelle, reprend la directrice. Cependant, après ce qui… ce qui vient de se passer…

« Le cataclysme ? La dévastation ? La pluie de caca ? Besoin de synonymes ? »

— … nous pensons qu'il vaudrait mieux ne pas leur accorder cette faveur, poursuit Mignault. Ils nous ont pris par surprise la semaine passée et nous sommes un peu refroidis.

« Nous ? Ils NOUS ont pris par surprise ? Pourquoi NOUS ? C'est pas de moi qu'il s'agit ici ? C'est qui, ce NOUS ? »

Émily comprend alors en quelques secondes qu'aux yeux de madame Mignault, les cotes d'écoute sont aussi importantes que ses propres sentiments.

— D'autre part, le *Journal d'Ici* s'est montré plus qu'intéressé à t'avoir, ajoute la dame, visiblement transportée de joie. Ils sont ravis. Ils proposent la une, pleine page, mais également des planches de photos couleur à l'intérieur. Ça ne s'est jamais fait encore pour une artiste de la relève. C'est une visibilité du tonnerre. Ils veulent faire un portrait de toi.

Émily ne sait trop comment réagir. Le *Journal d'Ici* est un journal immensément populaire. L'idée d'y figurer en première page est surréaliste.

— Vous êtes sérieuse ?

— OUI ! s'écrie madame Mignault sur le même ton que le ferait Biscuit, le petit frère d'Emma, si on lui proposait une crème glacée triple chocolat avec cornet sucré.

Émily déglutit.

— C'est pour ça que je viens te voir, ajoute la directrice en poussant sa mèche brune d'une jolie façon à l'intention de la caméra. On obtient l'entrevue si elle est exclusive. Autrement dit, aucun commentaire ailleurs avant l'entrevue. Tu comprends ?

« Je suis pas une madame Playmobil, vous savez. J'ai un cerveau. »

— Oui, répond Émily. Je comprends.

— Bien.

« Je vais faire la couverture pleine page du *Journal d'Ici...* »

La porte grince quand madame Mignault et le caméraman sortent de la Grande Maison, discutant à voix basse de technique et de montage. Émily s'adosse lourdement, complètement sous le choc.

— Hé, Nik ? fait Jérémie du haut de la mezzanine, torse nu, en pyjama.

— Quoi ?

— Rien. Je voulais juste être filmé en boxer, dit-il avant de retourner à sa chambre en ricanant.

« Idiot », pense Émily qui ne peut s'empêcher de sourire, malgré l'horreur de cette journée qui se termine enfin.

4.

— Maud, elle ne veut pas en parler. Arrête de l'embêter.

Même en adoptant un ton autoritaire, William demeure doux. C'est un mystère pour Émily ; elle ignore comment il fait. Mais elle doit admettre que son intervention a fait son effet. Comme toujours.

— Mais c'est pour son bien ! insiste Maud en regardant cette fois Emma, la fourchette en l'air. Vous trouvez ça normal, vous, qu'elle ne veuille pas raconter sa rencontre ?

William, Emma, Elton et Émily échangent un regard complice. Émily a tout raconté à ses amis quand ils se sont réfugiés au local d'impro pendant une pause de l'avant-midi. C'est devenu leur rituel. Elle n'ose pas imaginer comment elle survivrait à cette aventure s'ils ne disposaient de ce petit espace bien à eux, sans oreilles indiscrètes.

— Tu le sauras quand ça sera le moment, fait Emily avec un regard impénétrable, ce qui fait glousser Elton.

« Et tu vas en tomber par terre ! » se dit-elle en imaginant avec satisfaction la réaction de Maud devant le *Journal d'Ici* de samedi prochain.

Emma et William ont convaincu Émily que cette entrevue était une belle occasion à saisir pour définir ses priorités : le chant et la musique.

— Tu n'es pas obligée de raconter ton histoire familiale ! a déclaré Emma. C'est musti privé. Ça regarde personne. Mais ton art, ton talent, ça aussi, ça intéresse les lecteurs. Concentre-toi là-dessus. Ils sont des milliers à voter pour toi depuis des semaines ! Pas parce que ton père fait une page couverture, mais parce que tu es une chanteuse divine !

— Mon père ne fait que parler de Sarah-Jeanne Biain depuis trois jours, lance William en entamant sa mousse au citron.

— Ah oui ? s'exclame Emily en souriant. C'était tellement une belle soirée !

— Alain lui a serré la main pendant au moins douze minutes sans la lâcher ! se remémore Emma en riant. On aurait dit que leurs mains étaient collées avec de la Crazy Glue.

— C'est sûr, elle a chanté plein de chansons de vieux, dit Elton en s'essuyant la bouche. Nos parents ont trippé.

Un frisson a parcouru Émily quand elle a entendu le prénom de son oncle. Par le passé, c'était toujours elle qui refusait qu'on évoque la cause de la chicane de famille, elle le sait bien. Elle sait aussi qu'Alain insistait souvent pour qu'elle en parle avec sa mère.

« Il voulait que je sache », songe Émily, et elle se demande comment il lui faudra se comporter désormais en sa présence.

— Vous avez vu l'entrefilet dans le journal ? demande Maud en ouvrant la publication à la bonne page.

— Ouais, ils parlent juste de moi ou presque, répond Émily, contrariée par cette situation injuste.

Sarah-Jeanne a chanté pendant une heure et demie, s'accompagnant uniquement de sa guitare, et Émily doit admettre que si le folk n'est pas aussi passionnant que la pop (« à trois, tout le monde s'endort »), elle a apprécié plusieurs de ses chansons. Surtout la célèbre *I Will Wait* de Mumford & Sons.

Mais voilà, Émily a fait quelques harmonies vocales et chanté une chanson. Une seule chanson. Or, le court article ne parle que de sa performance. « Cette fille peut tout faire. » « Un talent d'une polyvalence inouïe. »

— Tu n'aurais pas dû t'habiller aussi relaxe, fait Maud, critique. Cette photo de toi n'est pas très bonne. On dirait que tu reviens de jardiner.

— T'as quelque chose contre les jardiniers ? rétorque Émily.

— Ton look dans les média, c'est important ! assure Maud, qui prend son rôle de pseudo-agent très à cœur.

— Inquiète-toi pas avec l'article, Em, coupe Emma en grignotant un céleri. Sarah-Jeanne est tellement contente d'avoir fait ce concert avec toi ! Elle cherche pas à faire parler d'elle. Elle veut juste chanter.

— J'ai même l'impression que moins elle fait parler d'elle, mieux elle se sent, ajoute William.

— J'avoue, confirme Elton.

— Hé ! Elle pourrait devenir ta choriste ! s'exclame Maud.

— Franchement !

— Ben, pourquoi pas ? Si elle veut chanter et pas avoir l'attention ?

— Comment ça va à la Grande Maison ? demande Emma, qui déteste ces dîners avec Maud.

— Tendu. J'aime mieux quand les autres candidats sont là pour les fins de semaine, c'est moins pire. J'arrive à oublier un peu qu'on est juste quatre et que dimanche…

— … vous serez juste trois, complète Maud.

— Tu dis ça comme si c'était évident que je serai encore là.

— C'EST ÉVIDENT ! répondent en chœur les trois autres.

William se contente de lever la tête pour lui sourire.

— Amanda va être éliminée, c'est méga clair, déclare Francis Breton en s'asseyant sur le coin de leur table.

— Salut, Francis ! lance Émily en lui adressant un magnifique sourire.

— Je souhaite tellement qu'elle parte, celle-là ! dit Emma.

— Si on pouvait truquer les votes…

— Il doit y avoir un moyen technique, souffle Elton avec sérieux.

— Tu me niaises, là ? rétorque Emma en haussant les sourcils.

— Ben, c'est compilé par téléphone. C'est un logiciel qui s'en occupe. Et qui dit logiciel dit mathématiques.

— Oh non, Elton, penses-y même pas.

— Ça serait un beau projet d'Expo-Sciences, ajoute-t-il avec un clin d'œil, et Emma lui sourit tendrement.

Émily regarde William d'un air complice. Emma porte des bracelets à pics punks qui ne lui vont pas du tout, se fait de discrets tatouages au eye-liner autour des poignets et tente même parfois de grimper sur la planche à roulettes de William pour « faire travailler ses muscles péroniers ». Tout ça pour séduire Elton.

— Vous êtes pas sérieux, là, j'espère ? s'inquiète Émily.

— Ben, non. On va faire Expo-Sciences sur l'impact organique de la musique. C'est musti trippant, hein ?

— *Niiiice !* approuve Francis.

— Sur l'orgue ?

— Pas l'orgue, rectifie Emma en se plaquant la main sur le front comme si Émily venait de se tartiner tout le visage de beurre d'arachides. L'impact ORGANIQUE. L'effet qu'a la musique sur le corps.

— Genre les frissons ?

— Genre, oui !

— Parlant de frissons, dit Francis, c'est vrai, l'affaire du bal, Émily ? Merde, Will, t'es un saint, *man*. Je sais pas comment tu fais, sérieux.

— Quelle affaire de bal ? s'enquiert Emma en regardant Émily.

Cette dernière sent qu'une nouvelle tuile va lui tomber sur la tête. Leur bal des finissants n'aura lieu que dans deux ans... Quel est le rapport entre William et le bal de Francis ?

Le bal de Francis. Le même que le bal de Jérémie. « Oh non. Oh non. »

Mais Francis regarde Émily, puis William d'un air désolé.

— J'aurais dû me taire, je pense, lâche-t-il. T'es pas au courant, c'est ça?

— On est au courant de rien, fulmine Émily. Mais je pense que je devine. Jérémie a dit que je l'accompagnais, c'est ça?

Francis garde le silence, gêné.

— Eh ben, c'est faux! Totalement top mensonge. Je sais pas pourquoi il dit ça, mais…

— C'est pas lui, *man*, tempère Francis. C'est sur le site de StarAcAdo. C'est écrit dans la section « Nouvelles ».

William inspire bruyamment.

— T'as juste à dire que c'est pas vrai, intervient Emma. Va voir les directeurs. Écris-le sur ton blogue de candidate.

Émily cherche le regard de William, mais celui-ci reste pensif quelques secondes.

— Je vais régler ça, affirme-t-elle.

— Tu sais bien que tu pourras pas, répond doucement William en évitant son regard.

— On t'a vue le dire hier à la télé, Émily, l'encourage Elton. NOUS NE SORTONS PAS ENSEMBLE. C'était drôle.

— Ouais, renchérit maladroitement Maud, les dents tellement serrées qu'on dirait un brochet au bout d'une ligne à pêche.

— Je vais aller faire un tour dehors avant le début des cours, dit William en se levant avec son plateau.

— Will, attends ! s'écrie Emily en se levant précipitamment pour le suivre alors qu'Emma la freine de la main.

— Laisse-le. Tu le connais, il a besoin d'air.

— Non mais, c'est quoi, cette niaiserie-là ? ! peste Émily qui se sent devenir verte de colère comme Hulk, tout en cherchant Jérémie des yeux dans la cafétéria.

Mais Jérémie est introuvable. Et Émily se rassoit, abattue.

« Où est le bouton *OFF* sur la machine distributrice de problèmes ? ! »

5.

Chère Émily,

Je suis à fond avec toi. C'est complètement dément, ce qui t'arrive. T'inquiète, je crois bien que personne ne lit nos lettres. Madame Chameau nous l'a encore assuré hier. Alors tu peux te confier sans problème. Cela dit, moi, si j'avais deux mecs qui me faisaient du gringue, je ne me plaindrais pas. (Je plaisante.)

Je suis devenue une réelle attraction à mon lycée uniquement parce que je suis ta correspondante. Il y a eu un petit buzz ici sur le Net à propos de votre Académie pour ados (qui est vraiment une idée géniale).

Tout le monde me parle de ta voix. Comme j'aimerais que tu chantes devant moi! Je pourrais au moins sentir les ondes.

Ici, c'est le train-train. Ma vie me semble si ennuyeuse à côté de la tienne. Je ne vis pas grand-chose. À part peut-être une panne de métro hier. Tu vois comme ma vie est palpitante. Je donnerais n'importe quoi pour qu'on parle de moi dans un journal.

Je t'envie.

Grouille-toi de m'écrire. J'ai vu un joli petit haut dans une boutique et puisque je vends tes lettres à prix fort, il me tarde de me l'offrir.

(Je plaisaaaaaante!)

Clem xxx

6.

— T'as pas intérêt à me mentir.

— Je te mens pas, Nik.

Émily et Jérémie sont assis côte à côte sur le gros rocher du terrain derrière Saint-Preux. Émily frappe nerveusement le talon de sa botte Hunter contre la surface rugueuse et froide.

— Salut ! lance un étudiant de deuxième année en s'approchant d'eux, tout souriant. Je me joins à vous ?

— On veut être tranquilles, ça paraît pas ?! lui crie Émily.

Le garçon reste bouche bée un moment. Puis il tourne les talons piteusement et va rejoindre un petit groupe qui les regarde de loin.

— C'était qui ? demande Jérémie.

— J'sais pas.

Il écarquille les yeux et éclate de rire.

— Tu lui as parlé comme ça sans le connaître ?!

— Hum hum.

— Hé, tu viens clairement de perdre un vote dimanche prochain. Et moi aussi, je pense, ajoute-t-il.

— Je m'en fous. Je suis tannée de tous ces pots de colle. Pas toi ?

— J'aime le bricolage.

Émily parvient à sourire.

— Je vais aller m'excuser tantôt. Mais sérieux, je veux la paix. J'en peux plus.

— Tu vas t'habituer.

— Je pense pas, non.

« M'habituer à me faire épier quand je vais faire pipi ? Non, jamais », pense Émily, fatiguée de répondre poliment à des sourires dans les toilettes de l'école.

« Qu'est-ce que ce sera quand j'aurai envie de faire caca ?... Oh, mon Dieu ! La honte ! »

« AUJOURD'HUI DANS *FUN FUN* : ÉMILY DE STARACADO FAIT CACA ! TOUS LES DÉTAILS. »

— Quand j'étais au primaire, je passais dans une pub de ketchup, confie Jérémie en rompant le fil de ses pensées.

— Ah ?

— Ouais. Je voulais plus aller à l'école. Je me faisais tellement niaiser. Ou montrer du doigt. C'était pas évident.

— C'était toi, le petit gars qui mangeait des frites?! Oh, mon Dieu! OUI! C'ÉTAIT TOI!!! s'écrie Émily en juxtaposant le petit minois rougi de ketchup de ses souvenirs sur le beau visage de Jérémie.

— Je suis démasqué, fait Jérémie en souriant.

— J'en reviens pas!!! Si Marie-Pier avait su ça! On t'imitait toujours avec nos frites quand on était petites. Wow. Elle était vraiment populaire, cette pub.

— Ouais.

Un silence s'installe. La pause va se terminer d'une minute à l'autre et, habituellement, Émily profite de tous ses moments libres avec William. Ce moment d'intimité avec Jérémie, sans caméra, est si étonnant qu'il en est presque surréel.

« Que fait William en ce moment? » se demande Émily en fixant les fenêtres du pensionnat.

Elle n'a pas eu l'occasion de lui reparler depuis le début de la semaine et ça l'effraie. Emma affirme qu'il s'entraîne au gymnase pendant les heures de dîner, mais que tout va bien et qu'elle n'a pas à s'inquiéter. Dans les couloirs, il lui sourit. Émily s'accroche à ses sourires comme un alpiniste s'accroche à son piolet à des centaines de mètres du sol.

— Will t'aime, lui a dit Emma, rassurante. Il accepte la situation. Mais laisse-le digérer ce qui se passe.

« Et ma digestion à moi ? » a alors songé Émily.

— Je m'habituerai jamais aux révélations publiques non plus, avoue-t-elle à Jérémie dans un souffle. Voir mon père dans les magazines, ensuite l'affaire du bal… C'est vraiment dégueulasse. Pourquoi ils font ça ?

— Tu le sais, Nik.

— Non.

— Ben oui, tu le sais. Tu le sais depuis le début. T'as accepté les règles.

— Oui, mais il y a des limites à blesser le monde ! Toi aussi, tu le vis. J'ai vu les commentaires à propos de toi sur le site de StarAcAdo.

Même s'il jouit d'une popularité indéniable et possède un charme qui fait crier toutes les filles dans la rue, Jérémie a également plusieurs virulents détracteurs sur le Web. Sa publicité de Piscine Plus lui attire quelques moqueries.

— Ouais, j'ai vu, répond simplement Jérémie.

— Comment tu fais ?

— Je vis avec. C'est le prix à payer pour les applaudissements. Pour tout l'amour qu'on reçoit à côté.

— Tu penses ?

— Bien sûr, Nik. La célébrité, l'amour… Si j'avais pas été le gars de Piscine Plus, serais-tu tombée amoureuse de moi il y a deux ans ?

La question frappe fort au ventre d'Émily. Parce qu'il a raison. Et que c'est douloureux de l'avouer.

— La réponse est non, répond-il à sa place en la fixant sans ciller. Alors, tu vois ? Il y a un prix pour ça.

Émily entend la cloche qui indique la reprise des cours. Elle voudrait s'enfuir par le petit chemin boisé et rentrer chez elle. Chanter sur son lit. Comme avant.

— Tu me jures que c'est pas toi qui as eu l'idée de dire que je t'accompagnais au bal ? répète-t-elle d'une petite voix.

— Non, répète Jérémie.

Il se laisse glisser jusqu'au sol avant de l'aider à descendre du haut du rocher.

— Et la situation commence à me déplaire autant qu'à toi, ça serait bon que tu le saches.

— C'est toi qui as commencé, je te signale, dit Émily, outrée. Dès les premières émissions, tu jouais sur le fait que tu étais amoureux, juste pour qu'on ait des cotes d'écoute. Tu t'en cachais même pas !

— Oui, mais c'est allé trop loin. Et je suis plus capable de le prendre maintenant ! lâche-t-il, excédé. Tu comprends donc pas ?

— Moi, c'est mon couple que ça fout en l'air, Jérémie !

— Ben, moi, c'est mon cœur, crie-t-il en la fixant de ses yeux bleus.

— Quoi ? Ton cœur ? T'as un cœur, toi ? La voix d'Émily résonne sur le terrain du pensionnat.

« Pourquoi on crie ? Pourquoi on se dispute ? Qu'est-ce qui se passe, là ? »

— Je suis amoureux de toi, Émily ! Merde, tu comprends pas vite ! tonne Jérémie.

— Ben voyons, n'importe quoi.

— Je l'ai toujours été. Je suis con. J'ai fait le con, lance-t-il en donnant de toutes ses forces un coup de pied sur le rocher.

Émily reste figée.

— Le fait que la StarAcAdo essaie de nous montrer au public comme des amoureux, ça m'écorche encore plus que ça peut t'écorcher toi ! poursuit-il. Au début, j'y ai cru. J'ai pensé que ça marcherait. Je me suis trompé. Alors, j'ai peut-être pas de cœur, mais toi t'as pas d'yeux pour voir clair !

Émily reste immobile devant Jérémie Granger. Il inspire profondément en essuyant ses mains moites sur son manteau Diesel.

« Il est sérieux, on dirait... »

— Il faut rentrer, Nik, on va être en retard. Pis ça va alimenter les rumeurs, en plus ! On n'a pas besoin de ça.

« Il est vraiment sérieux. OH, MON DIEU ! »

— Mais tu… tu dragues tout le monde, Jérémie ! balbutie Émily. Tu prends tout à la légère ! C'est… Ça se peut pas, ce que tu dis !

— Je prends pas tout à la légère, Nik. Pas tout, non… Pas toi.

« OH, MON DIEU ! ! »

— Viens. On rentre.

Jérémie tourne les talons et se dirige vers la porte du pensionnat, les mains dans les poches. Mais Émily le rattrape et le roue de coups. Des coups de poing. Elle veut le briser en morceaux. Le briser parce qu'il est venu avec ses gros souliers dans son cœur. Briser l'amour. Briser l'amitié. Elle ne sait plus. Elle veut tout réduire en miettes.

— Tu peux pas me faire ça ! s'écrie-t-elle en sentant les larmes lui monter aux yeux. Tu peux pas me mélanger comme ça ! Tu peux pas me faire ça ! répète-t-elle, et sa voix se casse en deux.

Puis elle cesse de le frapper pour mieux pleurer.

— Nous ne pouvons plus nous faire ça, c'est clair, dit simplement Jérémie.

Émily court à l'intérieur comme dans un brouillard. Les joues en feu.

Moi j'aimais bien attendre tes bras,
Pars et ne te retourne pas.

— Granville, *Crèvecœur*

7.

— Pas mal, Kumba ! crie Barbery du fond de la salle. C'était pas mal du tout. Mais il faut que tu fasses attention à quelque chose qui m'agace un peu.

« De quoi ? ! » se dit Émily qui trouve que Kumba a chanté la chanson d'Alicia Keys comme une déesse.

— Ta gestuelle, précise-t-il. Tu fais souvent des gestes de *spiritual*, tu sais, ce genre de mouvement emprunté.

— Ben, je bouge comme je bouge, réplique Kumba, confuse. Pis j'ai respecté la chorégraphie pendant le refrain. C'était pas bien ? ajoute-t-elle en regardant Bastien.

— Moi, je trouve que oui ! répond ce dernier. Avec le chœur de danseurs derrière toi, ça fera un…

— Non, insiste Barbery, c'est pas la chorégraphie. C'est quand tu chantes. Tu as des tics quand tu chantes. Avec ta main, ton cou aussi. C'est agaçant. Il faudrait que tu apprennes à être plus neutre. Tu comprends?

— Euh... non.

— Vous comprenez ce que je veux dire? lance Barbery à l'assistance.

— Je pense que oui, déclare madame Mignault.

— Oui, approuve Amanda. C'est vrai, j'ai remarqué, moi aussi.

Émily est perplexe. Kumba est probablement la fille qui maîtrise le mieux son corps de tout l'univers. Elle danse divinement bien, et Émily a toujours pensé qu'elle avait la musique dans le sang.

— Attends une minute, fait Bastien. Que veux-tu dire au juste par la gestuelle de *spiritual*? Tu fais référence à la musique chrétienne afro-américaine? demande-t-il à Barbery.

— Absolument!

— Ben là! Je suis Africaine, mais je suis pas religieuse! rétorque Kumba.

— Non, c'est pas ça. C'est juste que tu bouges selon ces standards-là.

«Quoi?!» s'exclame encore intérieurement Émily.

— OK, souffle Kumba, visiblement mal à l'aise. Mais qu'est-ce que je dois changer ?

— Je suis pas certaine que ce soit vraiment nécessaire, intervient Madeleine Aubin.

— Moi non plus, je..., commence Mark Bonin.

— Elle va mieux passer si elle est plus neutre, assure Barbery. C'est le marché qui veut ça.

Kumba reprend sa chanson, résolument plus figée. Une fois. Deux fois. L'ambiance est lourde dans la salle de répétition.

— Tu veux que je te montre ? suggère Amanda.

Mais Madeleine Aubin pose ses mains sur les épaules de la candidate pour l'enjoindre de se taire.

— OK, on arrête ici, fait madame Mignault en frappant dans ses mains. Il est tard. Vos camarades vous rejoindront demain pour le numéro de groupe qui sera mené par Jérémie.

— *Yess !* s'écrie celui-ci avec enthousiasme. Mon idée est retenue ? C'est *Red Hands* ?

— Oui.

— Maxence qui chante du Walk Off the Earth, dit Émily en riant. J'ai hâte de voir ça.

— Je suis contente pour toi, Jérémie, susurre Amanda.

— Allez souper, ordonne madame Mignault. Et au dodo.

Les quatre candidats se suivent dans le couloir jusqu'au grand salon. Kumba est visiblement furieuse. Émily hésite à lui adresser la parole de peur de recevoir un flot d'injures. Mais, avec Jérémie qui l'évite comme si elle avait la peste bubonique et Amanda qui sourit mystérieusement, l'air sournois, chaque fois qu'elle l'approche, elle ne tarde pas à se lancer.

— Comment ça va ? demande-t-elle à Kumba d'une petite voix.

— Comment tu veux que j'aille ?! rugit son amie. Je viens de me faire demander d'être moins noire, tsé. Je peux me décolorer aussi. Quelqu'un a de l'eau de Javel ?

Kumba lance rageusement son sac de sport sur le divan.

— Ils ont pas dit ça !

— OUI ! c'est exactement ça qu'il a dit. Moins *spiritual*. Moins africaine. Moins noire.

Kumba est complètement hors d'elle. Émily ne l'a jamais vue dans cet état. Amanda s'approche alors doucement avec un verre d'eau.

— Relaxe, Kumbalala, lui dit-elle en le lui tendant.

— Relaxe ?!

— Oui, relaxe, Kumba ! intervient Jérémie, et Émily comprend qu'il essaie de lui rappeler qu'ils sont entourés de caméras.

— Eille, Piscine Plus, quand j'aurai besoin de tes conseils, je te le dirai, rétorque Kumba en sifflant de rage.

— Kumba, c'est pas si grave, minaude Amanda en s'asseyant à table avec le verre d'eau. Moi, j'aime beaucoup ta façon spéciale de bouger, finalement.

Émily voit passer dans les yeux de son amie un éclair de pure haine.

— Je m'en vais d'ici ! hurle Kumba en montant quatre à quatre les marches menant aux chambres. Je quitte. J'arrête tout ça.

Jérémie tente de dédramatiser la situation.

— Hé, Nik, pour une fois que c'est pas toi qui fais une crise ! lance-t-il.

Mais le claquement brutal d'une porte retentit à l'étage.

— Oh, mon Dieu !

— Je vais y aller, déclare Amanda en faisant mine de se lever.

« Toi, tu bouges pas ou je te scalpe », pense Émily.

— Non, laisse-moi faire, dit-elle d'un ton sans réplique.

Jérémie demeure immobile dans un coin du salon. Émily a l'étrange impression qu'il va se mettre à pleurer.

— On a vraiment les nerfs à vif, hein ? lui lance-t-elle.

— Oui.

Elle monte les escaliers et cogne à la porte de la chambre de Kumba. Pas de réponse. Elle entre quand même et trouve son amie étendue sur son lit, en train de pleurer toutes les larmes de son corps.

« Top nouvelle, elle est pas en train de faire ses bagages ! »

Émily s'assoit au bout du lit et attend quelques minutes en silence.

— Cette scène va être dans les *best off* du site Web, finit par dire Kumba en relevant la tête de son oreiller.

Elle a le visage complètement barbouillé, un mélange de larmes, de rimmel bleu et de désarroi.

— C'est clair. Mais je pense que t'aurais pu frapper encore plus fort si tu avais lancé le verre d'eau au visage d'Amanda. Tu te serais ramassée numéro un sur YouTube.

— Ah oui, t'as raison…

— Je sais.

— Flûte, on va me voir pleurer à la télé.

— Et tu as un beau dégoulis de maquillage, en plus.

Kumba sourit faiblement et se redresse sur le lit. Elle tente d'essuyer ses joues et regarde ses mains bleuies de rimmel.

— Ah ouais, t'as raison pour le maquillage. Zut, le bleu ça tache.

— Ça te donne un petit look Avatar.

— Hum hum.

Les deux adolescentes restent silencieuses un moment. Elles savent très bien que ce moment se retrouvera intégralement sur le site de l'Académie, et Émily réfléchit à la solution la plus télégénique possible. Mais Kumba n'a visiblement pas envie de jouer le jeu cette fois.

— C'était mesquin de leur part, dit-elle. Et Amanda, je peux plus la supporter. Son hypocrisie, je suis plus capable. Je vais abandonner, Émily.

— Tu peux pas faire ça, Kumba ! Tu peux pas me laisser seule ici avec eux !

« Surtout pas avec Jérémie ! » pense-t-elle, paniquée.

Mais Kumba hoche la tête, tristement.

— Tu te rappelles, on s'était dit qu'on allait se rendre en finale toutes les deux ! ajoute Émily. On y est presque ! Il reste seulement un gala avant la finale ! ! !

— Ça va être toi et Jérémie de toute façon, laisse tomber Kumba en faisant un geste de la main.

— Dis pas ça ! Personne sait qui va gagner ! Vous vous rendez compte de la pression que vous me mettez en étant tous aussi certains que je vais me rendre en finale ? ! Si je suis éliminée, comment je vais me sentir, moi ?

Kumba secoue la tête.

— T'as raison, ma vieille. Je suis désolée. Mais je suis vraiment pas certaine de vouloir continuer. C'était blessant aujourd'hui. Je peux pas être « moins africaine », tsé ! Et surtout, je VEUX PAS l'être moins ! Tu parles d'une connerie ! Comme si une Africaine pouvait pas être chanteuse pop ! Veux-tu que je t'en nomme ? Il y en a plein !

— Si tu pars, tu vas leur donner raison, souligne Émily doucement.

— Ouais...

— Tu te souviens que, pendant les auditions, je voulais partir ? Je voulais plus le faire ?

— Mets-en ! Tu m'as plantée là toute seule pour partir avec ton surfeur de Will.

Émily rit.

— Exactement. Je trouvais que c'était pas un monde pour moi. Que c'était un monde mesquin. Que c'était un monde injuste. J'étais la seule à ne pas m'habiller joli pour séduire. À ne pas penser à mille et un trucs pour faire éliminer les autres...

— Je sais, t'es la seule nounoune du lot.

— Ben, tu vois ? Je suis nounoune. Je fais rien pour gagner. Pis on dit que je suis pas pire populaire, finalement...

Kumba sourit entre ses larmes.

— Émily Faubert, tu sais que t'es mon amie ?

— Je l'ai pas toujours pensé, admet Émily. Mais maintenant je sais que oui.

— Je vais gagner ce concours, dit Kumba en reniflant.

— Ah ! Là, je te reconnais !

— Je vais te réduire en bouillie. Je vais t'écraser du pied comme on écrase une blatte.

— Garde tes compliments pour Amanda, fait Émily en souriant.

— Est-ce qu'on vient de dire devant les caméras qu'on déteste Amanda ? demande Kumba en feignant la surprise.

— Je pense ! répond Émily en pouffant.

— OUPS ! lance Kumba, feignant l'embarras.

— Viens, on descend. Je meurs de faim. Et Jérémie doit s'inquiéter.

— Ben voyons. Il serait trop content si je me désistais.

— Tu sais quoi ? J'ai appris cette semaine que personne ne sait qui est réellement Jérémie, ajoute Émily. Alors, saute pas aux conclusions trop vite, ma vieille.

— Je m'ennuie de Petit Poil…

— On le voit demain, déclare Émily en souhaitant, sans grand espoir, que la journée de répétitions règle tous les conflits.

8.

— Comment vis-tu l'expérience de StarAcAdo ? demande le journaliste du *Journal d'Ici*.

— Heu… ben…

Émily, attablée devant lui dans le studio, plonge le nez dans sa tasse de chocolat chaud pour se donner le temps de réfléchir. Les crépitements du flash l'étourdissent. Depuis trois heures, le photographe la bombarde sous tous les angles. Il ne s'est pas contenté de faire des photos en studio ; il mitraille la chanteuse pendant son entrevue.

« Profite de l'occasion pour montrer qui tu es ! » a dit William.

Le journaliste regarde Émily avec avidité. On dirait qu'il va la saupoudrer d'une cuillerée de sucre et qu'il va l'avaler tout rond.

— Je trouve ça difficile, répond-elle avec franchise, ce qui fait hausser les sourcils du journaliste. Pour moi, la musique, c'est une façon de communiquer. De rejoindre des gens. De me connecter. StarAcAdo me permet de faire ça, mais elle détruit ça aussi.

— Que veux-tu dire ?

— Le concours. La pression. Ça fait pas partie de la musique pour moi. Des fois, ça vient tout gâcher. Parfois, j'ai l'impression que les gens aiment l'Émily qu'ils voient à la télé, et non ma voix ou ma musique. C'est étrange, vous ne trouvez pas ?

— Heu… oui… non… hum… Comment vis-tu avec la célébrité ?

« Mais je viens de répondre à ça, prout de pet ! T'en as encore beaucoup, des questions toutes pareilles ? »

— Ben, de la même manière, répond Émily.

Le journaliste reste interloqué quelques secondes, puis sourit.

— Qu'est-ce que tu aimes dans la vie, à part la musique ? demande-t-il ensuite.

« TOP FLOU COMME QUESTION ! »

— Hum… Les hamburgers. Mes amis…

« Tu parles d'une page couverture ! »

Le journaliste attend qu'elle continue, la bouche entrouverte. Émily voit poindre le bout d'une petite langue rose.

« C'est sûr qu'Amanda aurait dit "militer pour la paix dans le monde" ou "militer pour l'écologie" ! » songe Émily, de plus en plus fébrile.

— Est-ce que ma réponse est débilos ? demande-t-elle précipitamment. Je ne sais pas trop quoi répondre parce que je n'ai pas vraiment de causes qui me tiennent à cœur ou des choses comme ça. J'ai pas grand-chose à dire, au fond. Peut-être que je suis pas assez intéressante pour votre journal.

— Au contraire, affirme le journaliste, qui semble agréablement surpris par les réponses d'Émily. Au contraire, je te trouve… différente. Et par le fait même, intéressante.

Il lui sourit, avec honnêteté cette fois. Un autre crépitement de flash. Émily tressaute.

— Comment gères-tu le retour de ton père dans ta vie ? s'enquiert-il en joignant les mains comme s'il priait.

— Heu… mal ! bafouille-t-elle en riant de nervosité.

— Tu l'as rencontré depuis sa sortie publique ?

— Oui. Mais j'aimerais mieux ne pas parler de ça. Pas de cette façon-là, en tout cas.

Le journaliste prend un air contrarié.

— Comment, alors ? fait-il.

Émily soupire. L'homme en face d'elle lui fait penser à Hypno-Ève, ce professeur qui voulait toujours lui tirer les vers du nez. En repensant à la peur qu'elle avait eue d'avoir été hypnotisée, elle sourit.

— Qu'y a-t-il ? demande le journaliste, plein d'espoir.

— Vous me faites penser à quelqu'un. On dirait que vous voulez que je pleure ou quelque chose du genre.

L'homme cogne nerveusement ses jointures trois ou quatre fois sur le dessus de la table.

— Tu sais quoi, Émily? J'ai jamais interviewé quelqu'un d'aussi déroutant que toi.

— Ah bon ? dit-elle vaguement, pensant qu'elle a fait une gaffe. Je ferai pas la couverture du journal alors ?

— Ça a pas l'air de te déranger plus que ça, répond le journaliste en éclatant de rire.

— Je sais pas. Je veux dire : je suis contente ! Je suis top contente, mais j'aimerais que ce soit pas pour des niaiseries. Si vous voulez parler de mon père ou de ma mère…

— C'est Annick Salazar, ta mère, la coupe le journaliste.

— Oui.

— C'est une grande avocate de la défense. Pas toujours facile d'être la fille de quelqu'un qui défend des criminels, j'imagine.

— Je veux pas parler de ça, déclare Émily, de plus en plus mal à l'aise.

— Émily, si tu parles de rien, il n'y a pas d'article !

« AUJOURD'HUI DANS LE *JOURNAL D'ICI* : ÉMILY DE STARACADO EST TOP PLATE. »

— Ce que je vis dans ma famille, c'est difficile en ce moment, précise-t-elle, jouant le tout pour le tout. Je préfère ne pas en parler. Et je pense que le public respectera ça.

C'est la phrase qu'elle a répétée avec William en cas de pépin.

« Maintenant, ça passe ou ça casse », pense-t-elle en croisant ses orteils pour que le journaliste accepte ses conditions.

— Mais il y a quelqu'un dont j'aimerais parler, glisse-t-elle, tentant le coup.

— Qui ?

— Je voudrais parler d'Ann Gentilly.

— Qui est-elle ? demande le journaliste en tambourinant sur la table avec ses doigts.

« Ça va faire, la batterie ! » s'impatiente intérieurement Émily.

— C'est une chanteuse d'opéra. Très connue. Très vieille maintenant. C'est aussi mon professeur de chant. Et je ne peux pas parler de moi sans parler d'elle.

— Ah, fait le journaliste, soudainement intéressé.

— Je n'ai jamais voulu être chanteuse. J'aimais chanter, c'est différent pour moi.

Émily voit le journaliste s'assurer que son magnétophone est en marche.

— Madame Gentilly est la première qui a vu une chanteuse en moi. Elle m'a appris qui j'étais. Elle m'a tout appris. Elle m'a appris à me méfier des pièges, surtout ceux que je me tends moi-même. Elle m'a montré ce qui était possible. Ce que je pouvais réaliser. Madame Gentilly est pour moi mille fois plus importante que StarAcAdo. Son point de vue sur moi est mille fois plus important que celui de vos lecteurs.

Elle reste silencieuse quelques instants, surprise par les mots qu'elle vient de prononcer. Elle n'avait pas prévu de parler de son professeur.

— Elle me manque, poursuit-elle. J'aurais besoin d'elle ces jours-ci, pour me comprendre. StarAcAdo, c'est difficile aussi parce qu'on est coupé de notre entourage. On nous demande d'être dans l'émotion, dans le sentiment, d'être branché sur les paroles d'une chanson. Comment on fait ça sans le contact des gens qu'on aime ? Moi, je sais pas.

Le journaliste reste bouche bée. Même le photographe a cessé de butiner autour d'elle.

— Eh bien, Émily Faubert, tu es quelqu'un de surprenant, dit le journaliste.

— Ah bon? fait-elle, figée.

« Qu'est-ce que j'ai encore fait? »

— Parle-moi encore, lance-t-il en se penchant vers elle. De ce que tu veux.

— Vous voulez encore faire l'entrevue avec moi? demande-t-elle d'une petite voix.

— Plus que jamais, répond-il en faisant signe au photographe de cesser de les déranger.

Émily réalise qu'elle a capté l'attention de l'homme en face d'elle comme lorsqu'elle chante.

« Je le tiens », se dit-elle.

— Eh bien, commence-t-elle en souriant, je vais vous parler d'une fille qui s'appelle Clémence Morel. Et de sa façon originale d'écouter de la musique.

9.

— Bienvenue à cet avant-dernier gala de StarAcAdo ! résonne la voix de madame Mignault dans toute la salle pendant que les candidats sortent de scène.

La foule crie et hurle. Émily l'entend en arrachant son micro-casque.

— Bravo, Jérémie ! s'exclame Lee dans les coulisses en tapant sur l'épaule de l'adolescent. Du beau travail. T'étais au top, comme d'habitude.

Le numéro d'ouverture avec la chanson *Red Hands* était à la hauteur des espérances. La salle est chauffée à bloc.

— Mes cheveux sont pris dans la boucle du costume depuis le début du numéro, dit Nathan, la tête légèrement penchée sur le côté.

— Mouhahahahahahaha !

— Ah, mon petit poil, si ça peut te convaincre de couper cette vadrouille que tu as sur la tête…

— Viens ici, Nathan, lance Lee avec compassion.

— Prochain numéro, Kumba ! crie le régisseur.

— Je vais être *spiritual* à souhait, les amis.

— Quoi ? demande Viva.

— Oh rien, répond Émily en se dirigeant vers la coulisse des filles. Une petite blague entre nous.

— Commencez pas à faire des blagues d'initiés, lâche Romane en déboutonnant le haut de sa veste queue-de-pie. Déjà qu'on se sent rejets parce qu'on n'est plus là pendant la semaine ! Vous êtes pas obligés de nous le rappeler.

— C'est vrai, ça ! approuve Kathryn.

— Vous avez raison, fait Amanda en fronçant les sourcils, c'est pas gentil.

« Nié nié ! »

— Hé, Amanda, il y a pas de caméras dans les coulisses, dit Romane. Lâche ton personnage un peu.

Puis elle ajoute tout bas :

— Tout le monde le sait maintenant, que t'es une sale petite hypocrite.

« OH, MON DIEU ! La scène avec Kumba ! Elle est donc passée à la télé... »

Romane adresse à Émily un grand sourire. Amanda n'a rien entendu.

— Ben oui, on a vu la scène à la télé ! s'exclame Romane. Celle où vous parlez d'Amanda.

— Oh, top gênant…

— Quoi, gênant ? C'est pas toi qui as eu le visage tout beurré à la télé ! lance Kumba en retirant ses leggings.

— C'est gênant pour Amanda, chuchote Émily.

— Oh, elle ! soupire Kumba en haussant les épaules.

— En tout cas, le message est passé, souffle Viva.

— Les filles ! gronde Kathryn.

Elle ne peut s'empêcher de trouver qu'elles vont trop loin dans la méchanceté.

— Je comprends pas, dit Amanda avec ses yeux de biche. De quoi parlez-vous ?

« Tu le sais très bien, petite sangsue. »

— Kumba ! hurle le régisseur. En place !

— Minute minute ! s'écrie la jeune Africaine en sautant dans un nouveau costume à paillettes mauves.

— J'adore ta robe, fait Kathryn.

— Attends de voir le numéro. Lee, je peux y aller ?

— Vas-y.

Kumba sort en vitesse de la coulisse, suivie des autres filles. Émily va s'asseoir dans la loge principale où se trouve l'écran. Elle rigole en voyant que Kumba commence son numéro par un des gestes que Barbery voulait gommer.

— Elle va se faire éliminer avec ça, dit Nathan en s'asseyant aux côtés d'Émily.

— C'est le public qui sauve. Pas les juges.

— Oui, mais…

— On verra tantôt.

— Ça va, toi ?

— Oui, répond Émily. C'est dur mais ça va, je tiens le coup.

— Cool, l'article dans le *Journal d'Ici*, lance Nathan. Toute la Côte-Nord est en amour avec toi.

— Ah oui ?

— Yep.

— Tout le PAYS est en amour avec elle, rectifie Abiel.

Émily se sent rosir. L'article a fait sensation. Les réseaux sociaux se sont déchaînés. Le journaliste a fait d'elle un portrait si flatteur que l'adolescente sent un tournimini l'envahir à la simple pensée de certaines de ses phrases.

« Émily Faubert est un cas à part, a écrit le journaliste. Un petit fragment d'or qui refuse d'être débusqué et poli. Mais visiblement, elle devra s'y faire. Car cette chanteuse est née pour briller.»

— Alors, comment se débrouille notre Africaine préférée? lâche Jérémie en s'affalant sur la chaise libre, près d'Émily.

— Elle est parfaite, répond Kathryn, les yeux rivés sur l'écran.

— Hé, qu'est-ce que tu fais? demande Nathan à Jérémie. Tu t'es pas changé pour ton solo?

— J'ai le temps, assure Jérémie, sobrement vêtu d'une paire de jeans et de son t-shirt des Rolling Stones.

— Lee va t'arracher la tête, *man*.

Jérémie hausse les épaules. Émily s'étire sur sa chaise et fait quelques vocalises. Après Kumba, elle montera sur scène pour chanter son solo. Il s'agit de la chanson *Try* de Pink, une chanson qu'elle a répétée toute la semaine avec Bastien, le chorégraphe.

— Est-ce que je vais devoir chanter en dansant comme Pink? s'est-elle inquiétée.

— Oui, ma belle, a répondu Madeleine Aubin, enthousiaste.

— Avec des acrobaties dans les airs??!

— Non non, on te connaît. Pas de hauteurs pour la grande Faubert.

— Et... avec qui je vais danser?

«Pas avec Jérémie, non non, pitié pitié... William en mourrait. Et moi je... je...»

— Avec moi, a répondu Bastien en souriant de toutes ses dents.

Du coup, Émily a passé presque toute la semaine dans la salle de répétition, apprenant à faire confiance au chorégraphe dans les portés, à tendre ses muscles au bon moment, tout en ayant l'impression de valser avec lui. Elle adore ce numéro. Mais il lui fait peur, aussi.

— Prête pour aller danser, Nik ? demande Jérémie nonchalamment.

— Je pense, oui.

— C'est un superbe solo, dit-il. Ça va bien aller. C'était super à la générale ce matin.

— Ouais.

« Et si je trébuche ? Et si je me pète le citron par terre ? »

— Tu trébucheras pas.

— Tu lis dans mes pensées ou quoi ? ! l'interroge Émily en riant.

— Je l'ai toujours fait, rétorque Jérémie en lui faisant un clin d'œil.

— Émily, c'est à toi ! l'appelle Lee.

— Quand tu chantes cette chanson, ajoute Jérémie tout bas à son oreille, j'imagine que tu me la chantes à moi.

— Émily, en coulisse ! crie le régisseur.

— Jérémie, c'est une chanson de rupture ! Le lien, s'il te plaît ?

— Émily Faubert ! répète le régisseur.

Elle monte à l'étage, les nerfs à vif. Dans la salle, les applaudissements sont bruyants et fournis. Kumba a encore triomphé. Et Émily en ressent une immense joie qui la détend immédiatement.

— Viens-t'en, dit Bastien en lui prenant la main. On va leur en mettre plein la vue.

— OK !

Émily sent une décharge d'adrénaline pénétrer dans son corps, ce qui la fait sautiller sur place.

À l'appel de son nom, elle court prendre place au milieu de la scène avec Bastien dans le fondu au noir. Elle entend les premières mesures de batterie tandis que Bastien lui murmure à l'oreille :

— Amuse-toi, choupette. T'es la meilleure.

Et Émily laisse couler sa voix alors que la lumière rose éclaire la scène d'un coup. Premières paroles. Premiers mouvements. La foule hurle sa joie de reconnaître la chanson. De reconnaître Émily. Celle-ci se laisse gagner par l'euphorie. Le plus merveilleux des sentiments du monde.

Puis, au fil de la chanson, au fil de l'extase du moment, elle comprend. Se frapper sur Bastien. Lui tenir la main, la lâcher. Se laisser porter. Valser. S'éloigner. Revenir. « Quand il y a une flamme, toujours quelqu'un se brûle.» Sa voix porte jusqu'au fond de la salle. Jusqu'au bout du pays. Un filet de sueur coule dans son dos. Pas grave. Émily danse et chante sur les ruines de quelque chose. Quelque chose est en ruine.

Quelque chose est en ruine.

Lorsque le numéro se termine, les centaines de spectateurs sont debout, hurlant. Bastien regarde Émily avec un air de victoire avant de lui faire faire le salut. Elle entend de purs inconnus crier son nom. Mais elle est en larmes. «Es-tu en train d'essayer de t'en sortir?» demande Pink dans la chanson.

— ÉMILY FAUBERT ! lance la voix de madame Mignault au milieu des applaudissements pendant qu'Émily marche vers la coulisse, bouleversée. Jérémie est là, toujours en jeans, levant le pouce en l'air, les yeux rougis. Il n'a pas encore enfilé son costume.

— Tu te désistes, c'est ça? lui crie soudain Émily au visage.

— T'as pas trébuché, Nikki Pop.

— Jérémie Granger! rugit Lee. Qu'est-ce que tu fais? Où est ton costume?

— J'ai pas trébuché, répond Émily en prenant le visage de son ami dans ses mains.

— J'avais pensé chanter *When I Was Your Man* avant de faire mon annonce, mais je voulais pas te faire pleurer. C'est raté, tu pleures quand même, dit-il en souriant faiblement avant de se dégager.

Et pendant que Jérémie s'avance vers le micro que lui tend une madame Mignault complètement sous le choc de le voir arriver en jeans, Émily se surprend à penser à sa mère dans la salle. À Alain qui cette fois n'y est pas. À son père. Aux cœurs brisés. Aux trios amoureux qui font toujours mal.

— Jérémie…, murmure Émily pour elle-même.

— Qu'est-ce qu'il fout ? s'exclame Kumba qui vient de surgir dans la coulisse, haletante. Qu'est-ce qu…

— Retournez dans la loge ! ordonne Lee.

— Mais qu'est-ce qu'il fait ? !

Jérémie chante la ritournelle de la pub de Piscine Plus dans le micro. Il a l'air de bien s'amuser devant le visage crispé de madame Mignault.

— Il s'en va, répond simplement Émily.

Et tout devient simple, d'un seul coup.

10.

— Tu as pris la limousine de StarAcAdo toute seule ce matin ? demande une journaliste au fond de teint tellement épais qu'on dirait du beurre d'arachides.

« Oui et tu le sais ! » pense Émily, qui a à peine eu le temps de sortir une jambe de la voiture avant que quatre journalistes lui braquent micros et caméras sur le visage.

— Comment tu te sens ?

— Qu'est-ce que tu penses de son départ ?

— Avez-vous rompu ?

La jeune fille s'extirpe tant bien que mal de la limousine tandis que le chauffeur de StarAcAdo tente de repousser les reporters. Elle remarque le logo rouge et blanc de la revue *Fun Fun* sur un des appareils photo. Le photographe se déplace autour d'elle comme un crabe. Sans réfléchir, Émily se met les yeux croches devant lui. Puis elle sort la langue et se retrousse le nez avec le doigt avant d'éclater de rire devant la mine éberluée des gens.

— Émily, dis-nous quelques mots, insiste l'un d'eux.

— « Quelques mots ! » répond-elle, taquine, avant de s'engouffrer dans l'entrée des élèves du pensionnat, au-delà de laquelle, elle le sait fort bien, les journalistes ne pourront pas aller.

— Émily ! ! ! crie Emma en lui sautant dessus. J'avais trop musti hâte ! Veux-tu bien me dire ce qui s'est passé hier soir ? !

— Émily ! crient cinq autres élèves en formant un cercle autour d'elle, l'empêchant d'ouvrir son casier.

— On se calme, lance Maud en tassant tout le monde et en s'appuyant sur le casier d'à côté, maîtresse d'elle-même comme toujours. Alors, Émily, raconte !

Émily ouvre son casier et découvre encore une fois à l'intérieur un amas de petits papiers pliés qui ont été glissés par les fentes d'aération.

— C'est musti fou, ces petits mots que tu reçois toujours, dit Emma en souriant.

— Ouais, répond Émily en ouvrant son sac d'école. Je comprends pas trop en fait. C'est pas des compliments, c'est des confidences…

— Émily, courrier du cœur ! s'exclame William en arrivant derrière elle.

— Oh, William ! souffle Émily en se blottissant immédiatement dans ses bras.

Elle s'agrippe à lui comme elle s'est accrochée à une bouée ce fameux été où elle est tombée en bas de sa planche à voile dans un lac réputé pour abriter de nombreux brochets à dents pointues.

— Bon ben, je pense qu'on saura pas ce qui s'est passé, grogne Maud en croisant les bras de frustration.

— Fais donc ta job d'agent d'artiste en attendant, suggère gentiment Emma en lui indiquant deux élèves en train de filmer Émily dans les bras de William avec leurs cellulaires.

— Hé, hé ! Pas de films ! lance Maud en s'approchant d'eux, l'air menaçant.

Émily sourit à William, puis aperçoit du coin de l'œil l'oreille gauche de son amie, traversée d'une espèce de bâton de métal.

— Emma ! Qu'est-ce que tu as à l'oreille ?

— Une boucle d'oreille, pourquoi ? fait négligemment Emma.

— Heu… c'est PAS une boucle. C'est un bâton ! Pis c'est pas dans le lobe ! répond Émily. T'as un bâton dans l'oreille !

— Pas dans l'oreille, dans le cartilage.

— T'es folle ou quoi ? T'avais même pas les oreilles percées, pis du jour au lendemain t'as un bâton dans l'oreille ? !

— Dans le cartilage, répète Emma. Pis c'est pas un bâton, c'est un *rook*.

— Un quoi ?

William rit.

— On est allés dans une bijouterie qui fait des piercings en fin de semaine avec son père, dit-il. Ça avait l'air de faire mal, en tout cas.

— Même pas vrai, proteste Emma qui rougit.

— Ton père ? demande Émily, sous le choc, en approchant son visage du *rook*.

— Touche pas, hein ?

— Ben non, tsé, je vais tirer dessus de toutes mes forces, raille-t-elle en observant la tige de métal. Hé, c'est pratique si je manque une marche à côté de toi ! J'ai une rampe à portée de main.

— T'es donc drôle.

— Ton père a accepté ça ?!

— J'ai les meilleures notes de toute l'école ! réplique Emma avec aplomb. Il pouvait pas refuser !

— Dis surtout que ton père a été adorable, comme d'habitude, poursuit Émily en regardant toujours le *rook*.

— Mon frère aussi en a un, glisse Maud. Il a pleuré comme un bébé quand il se l'est fait poser.

— Il a quel âge, ton frère ?

— Dix-neuf ans.

— Hahahahaha !

— C'est vrai que ça fait un peu mal, avoue Emma. Mais c'est beau, non ?

« Beau ? Heu… »

— Non, c'est pas beau ! dit Maud. Ben quoi ? ajoute-t-elle en voyant les visages crispés autour d'elle. C'est la vérité ! C'est comme une enfant de quatre ans avec des talons hauts. Ça marche pas. Elle a l'air trop jeune pour en avoir un.

— Mais c'est JUSTEMENT pour ça que j'en ai voulu un ! justifie Emma en portant la main à son bijou. C'est pour avoir l'air plus vieille que j'ai fait ça. J'en ai marre, moi, d'avoir l'air de huit ans et trois quarts !

— Pourquoi « et trois quarts » ?

— Elton aime les *rook*, chuchote William à l'oreille d'Émily.

— Ah ! fait-elle. Moi, je trouve ça super, Emma. C'est cool rock, ton *rook*.

« Cool rock ton *rook*, cool rock ton *rook*, cool rock rouk rik rouk. »

— Tu trouves ? demande Emma qui n'a plus l'air certaine du tout.

— Ouais, ouais, t'as au moins gagné deux ans avec ça. Sûr.

— Raconte maintenant ! la presse Maud en changeant de sujet. C'est à cause d'Amanda que Jérémie est parti ?

— C'était n'importe quoi, son numéro sur l'intimidation ! rage Emma en parlant du solo d'Amanda.

Ayant choisi de chanter *Carry On* du groupe Fun, Amanda a versé ses quelques larmes habituelles en dédiant la chanson aux victimes d'intimidation dans les écoles. Mais ce numéro n'a pas réussi à la sauver de l'élimination, au grand soulagement d'Émily. Du coup, celle-ci et Kumba demeurent les deux uniques finalistes.

« TOP FOU RAIDE ! »

— Spécial, en tout cas, de voir une intimidatrice touchée par l'intimidation, raille Maud.

— Ça t'a touchée, toi ? l'interroge Émily, un sourire en coin.

— Pourquoi tu demandes ça ?

— Ben, tsé, si les intimidateurs peuvent être touchés par l'intimidation…

— Bon bon, je le sais, que j'ai pas été un ange avec toi, mais j'ai changé, pis tu le sais, répond Maud en brandissant son index.

— Heu… t'as pas changé tant que ça, tu viens juste de m'intimider ! ajoute Emma.

— Mais j'ai juste dit la vérité !

Emma lève les yeux au ciel.

— Est-ce que Jérémie est arrivé ? demande Émily en refermant la porte de son casier.

— Non. Mais quelque chose me dit qu'il va se faire sauter dessus dès qu'il va rentrer.

— Tu lui as parlé ? fait Maud.

— Non. Les candidats éliminés ne reviennent pas à la Grande Maison après le gala. Pis...

— Il s'est éliminé lui-même ! C'est musti fou !

Émily regarde William.

— Tu parles pas, toi ?

— Depuis quand je parle, moi ? riposte-t-il, les yeux rieurs.

— Ben, tu pourrais poser une question en monosyllabes. Genre « pour-quoi ? ».

— Je suis pas certain que je veux le savoir, en fait.

— Est-ce que Jérémie est parti à cause de toi, Em ? s'informe Emma, les yeux ronds.

— Tu me niaises ?! ajoute Maud en levant le menton si haut qu'il en devient pointu.

— C'est à lui de répondre, pas à moi, dit Émily avant de remettre la bandoulière de son sac d'école sur son épaule.

La première cloche retentit. Ding dang dong dung.

« Est-ce que c'est ça qu'on appelle être sauvée par la cloche ? » se demande Émily qui retourne dans les bras de William quelques instants.

— Ça faisait longtemps, murmure celui-ci.

— Ouais.

— Bon ben, à plus tard! lance Emma en se mettant à courir dans le couloir.

— Elle a Zelkowitz ce matin, elle? fait Émily en sachant que son amie ne supporterait pas d'arriver en retard au cours de son professeur adoré.

— Non. Elle doit avoir sciences physiques.

— Le lien, s'il te plaît?

— Elton est avec elle dans ce cours. Pis le bâton dans l'oreille…

— Le *rook* dans l'oreille…

— Dans le cartilage, la corrige-t-il en riant.

Émily effleure du doigt une des fossettes de son ami sous le regard scrutateur de Maud.

— Excusez-moi, mais… est-ce que vous sortez ensemble? demande alors une élève de quatrième secondaire dont Émily ne connaît pas le nom.

— Laisse-les tranquilles, l'exhorte Maud en bon garde du corps.

William soupire.

— C'est quoi maintenant, la réponse officielle? leur demande alors Maud.

William fixe Émily, la sondant de ses yeux verts.

— Ben… j'ai plus besoin de faire semblant de rien, maintenant que Jérémie n'est plus dans la course, dit-elle doucement.

— As-tu toujours juste fait semblant ?

— C'est important ?

— Plus maintenant, non, répond-il en souriant.

— Vous sortez ensemble ! ! confirme l'étudiante, tout sourire. Hé ! Les filles ! crie-t-elle en s'éloignant dans le couloir en courant pour rejoindre ses amies. J'ai un potiiiiiin !

— Je pense que tu vas bientôt faire parler de toi dans *Fun Fun*, s'esclaffe Émily.

— Ça, ça m'étonnerait beaucoup ! réplique William avec assurance.

« Tu sais pas dans quoi tu viens de mettre les pieds ! » pense Émily en faisant un clin d'œil à son amoureux avant de s'éloigner vers sa classe, suivie de près par Maud.

11.

— Dis donc, ma vieille, qu'est-ce qu'on va faire toute la semaine seules ici ? s'écrie Kumba en tournoyant au beau milieu du grand salon.

— On va fêter notre succès ! lance Émily qui, après avoir déposé son sac d'école, se joint à elle en gambadant. Oh, mon Dieu, Kumba, te rends-tu compte ? Ce sera l'une de nous deux la gagnante !

— Moi, je sais ça depuis le camp Étoiles et Sons. Je te l'avais dit.

— Ben voyons ! On rêvait, Kumbalala. Là, c'est pour vrai de vrai ! On fait la finale !

— ON FAIT LA FINALE ! !

Les deux adolescentes s'étreignent en hurlant de joie et d'excitation, alors que Mark Bonin et Madeleine Aubin entrent à leur tour dans le salon.

— En studio, les filles ! On va répéter les voix.

— Ben là ! On est juste deux ! ronchonne Kumba. On a sûrement pas besoin d'autant de temps de répétition.

— Voyez-vous ça, dit Madeleine Aubin, Kumba est la nouvelle directrice de l'Académie.

— Ouep !

— On a justement beaucoup de temps devant nous pour préparer des numéros parfaits, explique Mark Bonin.

— Parlant de numéros, est-ce qu'on peut suggérer des idées ? demande Émily.

— Oui oui. Mais le lundi, ce ne sont que des exercices de voix, alors…

— Je sais, je sais. C'est juste que j'ai eu une top idée pour notre numéro à deux.

— Ah bon ? s'étonne Kumba.

— Ouais, j'ai eu le flash ce matin dans la limousine.

— Et cette idée lumineuse, c'est quoi ? s'enquiert Mark Bonin.

— Ben…, commence timidement Émily, j'ai pensé qu'on pourrait chanter *Diamonds* ensemble.

Un silence d'incompréhension s'installe quelques secondes, avant que Kumba n'explose :

— Tu me niaises, j'espère ? Tu veux que je chante du Rihanna ? Hello, Émily ? Je m'appelle

Kumba, je suis Congolaise et JE SUIS FÉMINISTE ! Tu te rappelles ?

— Euh… le lien ?

— Tu me nommes la chanteuse femme-objet par excellence, avec le look le plus idiot de la planète et qui, EN PLUS, est retournée avec son ex-copain qui lui avait pété le nez d'un coup de poing et qui a dit à tous ses abonnés Twitter qu'il l'avait frappée uniquement parce qu'elle l'avait provoqué ? *Yo ?*

Tandis que Kumba reprend son souffle après cette longue tirade pleine de colère, Mark Bonin et Madeleine Aubin éclatent de rire.

— Je parle de la chanson ! se justifie Émily. Pas de tout le reste, là, tout ça…

— Mais ça va avec ! rugit Kumba. Tu peux chanter du Rihanna autant que tu veux, ma vieille, mais pas moi, *no way*.

— C'est dommage, se contente de dire Mark.

— Quoi ?

— *Diamonds*, c'est une jolie chanson sur la force d'un duo, ajoute-t-il. Si on écoute bien les paroles, ça parle de deux personnes qui se complètent. Intéressant.

— Oui ! s'emballe Émily. C'est pour ça que j'ai eu l'idée ! Ça dit : « Toi et moi ensemble, nous sommes beaux comme des diamants dans le ciel. » Ça dit aussi… ça parle de voir l'autre comme une étoile filante, une étoile, c'est… pis…

— Émily, c'est une chanson d'AMOUR, rétorque Kumba sur un ton paternaliste, comme si son amie souffrait de déficience intellectuelle profonde doublée de surdité.

— JE SAIS ! Je suis pas idiote ! Mais pourquoi ne pas la prendre dans un autre sens ? propose Émily en regardant tour à tour Kumba et les professeurs. On est pas obligé de toujours prendre les paroles des chansons pour ce qu'elles sont ! Rien ne nous empêche de la voir comme une chanson d'amitié ! Ça parle nulle part d'embrassage ou de quoi que ce soit d'autre ! On aurait juste quelques petits mots à changer par-ci, par-là. Genre « *When you hold me* » par « *When you are around me…* »

— Wow, tu as un sacré bon anglais ! se moque Kumba.

— Les paroles de cette chanson sont tellement belles ! poursuit Émily sans se laisser démonter. Pis moi, Kumba, quand je te regarde, je te vois comme une future étoile ! Je trouve que toutes les paroles s'appliquent !

Tous gardent le silence un moment.

— On pourrait effectivement faire un numéro épatant avec ça, intervient Madeleine Aubin. L'amitié et non la rivalité…

— NON, MAIS JE RÊVE ! s'égosille Kumba. Vous allez me faire chanter du Rihanna ? Sérieux ?

— Oublie que c'est Rihanna ! C'est une chanson ! Une belle chanson ! Avec un bon *groove*, Kumbalala. Allez, dis oui, dis oui ! supplie Émily en sautillant.

— Vous pourriez la chanter face à face, poursuit Mark Bonin, de plus en plus intéressé. Comme si vous vous parliez. Je suis sûr que Bastien trouverait quelque chose de super à faire pour les mouvements.

— Tu vois de la lumière dans mes yeux, toi ? demande Kumba en paraphrasant la chanson.

— Mets-en ! s'exclame Émily. Quand tu chantes. Quand tu dis que tu vas m'écraser comme une coquerelle.

— Hahahaha !

— Oui, oui ! fait Bonin en se frottant les mains. Je veux cette énergie-là ! Le rire. La joie dans la rivalité.

— Avec l'orchestre sur scène, complète Aubin. Le piano à queue. Et la batterie. Cette chanson repose sur la batterie.

— Les filles pourraient venir en jouer de petits bouts pendant la chanson. Kumba au piano. Émily aux drums. Comme pour se lancer le défi…

— Laquelle va gagner…

— Oui !

— OUI !!! répète Émily, au bord de l'extase.

Kumba se met à rire.

— Est-ce qu'il faut que je me rase un côté de la tête comme elle ? s'amuse-t-elle. Parce que je trouve que ça m'irait pas super bien.

— Ben non, nounoune. Tu dis oui ?

Kumba lui jette un regard avec un sourire en coin.

— La vérité, c'est que je l'aime, cette maudite chanson là, avoue-t-elle enfin.

« OH, MON DIEU ! Elle va dire oui ! »

— OK. Mais à une condition, sinon je le fais pas, ajoute Kumba, l'index en l'air.

— Laquelle ?

— C'est moi qui dis : « T'es une étoile. » C'est toi, l'étoile, *sister*.

— Alors, je te répondrai que je suis une étoile quand je suis sur scène avec toi, répond Émily.

— Bon, les filles, on a un duo du tonnerre pour dimanche, résume Madeleine Aubin en tapant dans ses mains. Mais, maintenant, c'est l'heure des vocalises. Allez, hop !

Les deux adolescentes prennent la direction du studio en papotant, sans voir que leurs professeurs échangent un regard, excités comme des puces.

12.

Salut Clémence,

Pour répondre à ta question, j'ai vu mon père et c'était horrible. Je n'en parle à personne, on dirait que c'est tout bloqué en moi. Je me sens comme un ordinateur qui aurait gelé. Pis je trouve pas le bouton Escape. Tu comprends? Je suis prise dans le ciment. Figée. C'était... top affreux. T'es la seule à qui j'en parle. Peut-être parce que c'est plus facile dans une lettre? Le lien? Carrera aurait raison avec son affaire de correspondance qui est «teellllement plus intime» que les ordinateurs et Facebook? En tout cas. C'est top bizarre parce qu'on se connaît pas. Ben tsé, je veux dire, on se connaît pas vraiment. Mais j'ai l'impression d'être ton amie quand même. C'est top compliqué.

Comment ça va à ton école? Est-ce que les élèves suivent toujours notre StarAcAdo? Qu'en pensent-ils? Ça me fait tout drôle de savoir que des gens de Paris m'écoutent chanter. (Je veux dire, pas toi parce que... ben... Mais tes amis qui sont pas sourds.)

Jérémie n'est pas revenu à l'école depuis qu'il a quitté StarAcAdo. Mon ami Francis m'a dit qu'il était parti en voyage avec ses parents mais je suis certaine que ce n'est pas la vraie raison. J'essaie de ne pas trop m'en faire mais c'est difficile.

Je trouve ça top intense que tu dises que tu m'envies. Je comprends, je suis pas handicapée du cerveau! (Est-ce que ça te blesse si j'utilise le mot handicapé?) C'est vraiment débilissime mais je m'ennuie aussi des fois de ma vie d'avant. Je me demande

si un jour, cette vie va revenir.
Je commence à avoir vraiment hâte que le concours soit fini et que je puisse rentrer chez moi chanter sur mon lit.

Je t'envoie avec ma lettre une coupure de journal de chez moi qui risque de t'intéresser. Tu m'as écrit que tu aimerais qu'on parle de toi. C'est fait. Hihihi.

Émily xxx

Mais je n'ai qu'un cœur en guenille,
Et deux mains tendues de brindilles

— Zaz, *Si*

13.

— Maman ?

Elle tient si fort le combiné que ses jointures en sont blanches.

— Ma loulou !!! Comment ça va ? fait la voix surexcitée de sa mère à l'autre bout du fil.

— Ça va bien, répond Émily d'une voix brisée par l'émotion.

C'est la première fois qu'elle parle à sa mère depuis la visite chez son père, les candidats n'ayant accès au téléphone qu'une fois par semaine, et ce, devant une caméra. Or, Émily n'avait pas envie d'appeler la semaine dernière et préférait, pour le moment, balayer ce qui s'était passé sous un coin de tapis. Trop douloureux. Trop compliqué. Mais, ce soir, sa mère lui manque terriblement. D'autant plus qu'Ann la lézarde ne répond rien quand elle lui parle et que Kumba est en entrevue avec les médias depuis des heures. Elle est donc seule dans la Grande Maison.

— Je suis tellement contente de te parler ! s'exclame Annick, la voix tremblante. Tu… t'as pas appelé la semaine passée, et…

— Je sais, j'étais débordée, ment Émily en sentant la caméra lui brûler la peau.

— C'est correct, c'est correct, voyons ! Je disais pas ça pour ça. Et puis, tu fais la finale, ma loulou ! Ton numéro de dimanche était magnifique ! T'es tellement belle, tellement talentueuse. Je suis vraiment fière de toi, tu le sais ?

Émily se mord la lèvre pour s'empêcher d'éclater en sanglots. Elle s'ennuie de sa mère. Elle aurait envie de lui dire qu'elle se sent torpillée comme un sous-marin dans une partie de Battleship.

— Maman, tout le monde veut que je parle de mon père…, s'entend-elle dire.

Madame Mignault a encore insisté hier. La popularité d'Émily grimpe en flèche, et un coup de pub embraserait les ondes, elle le sait très bien.

— Tu n'as pas envie de dédier ta finale à ton papa ? a demandé la directrice en plissant les yeux. On pourrait même l'inviter sur scène pour te rejoindre à la fin du numéro et…

— NON ! a crié Émily.

Annick inspire longuement dans le combiné.

— Ma loulou, il te reste une semaine. C'est la dernière. Accroche-toi. C'est bientôt fini.

Émily hoche la tête, tout en étant consciente que sa mère ne peut la voir. Elle comprend que cette dernière choisit prudemment ses mots, puisque la conversation est filmée.

— Je sais, se contente-t-elle de répondre.

— Imagine-toi qu'hier au palais de justice, un procureur de la Couronne est venu me parler de toi ! lance Annick avec un entrain nettement exagéré, pour détendre l'atmosphère. Il m'a dit à quel point tu es géniale pis belle pis toute.

— C'est vrai ?

— OUI ! s'exclame sa mère en riant.

— Un procureur de la Couronne qui s'adresse au Diable Salazar ? fait Émily, le sourire aux lèvres, sachant que sa mère est détestée pour ses nombreux procès médiatisés.

— Eh oui ! Comme quoi, ta musique peut adoucir le caractère ! On devrait en faire écouter au jardinier !

— Ouais ! s'esclaffe Émily à son tour en pensant à l'air éternellement renfrogné de Jean-Pierre.

— Autre nouvelle, poursuit sa mère, ravie de voir qu'elle est parvenue à faire rire sa fille : j'ai congédié Monique.

— Oh ! pourquoi ?

Malgré la fâcheuse habitude de la femme de ménage de parler pendant des heures de choses inintéressantes, du bon vieux temps et de l'inauguration du métro dans les années 1960, Émily éprouve de la compassion pour elle.

— Pourquoi je l'ai congédiée ? répète Annick. Toi, t'as pas lu le *Hebdo* cette semaine.

— Nan. J'ai pas le temps de tout lire, c'est pas mal fou.

— Ben, tu le liras. Elle est dedans. Elle a répondu à des journalistes alors que j'avais strictement défendu au personnel de le faire. Notre chauffeur est en train de devenir fou. Il se fait arrêter dans la rue.

— HEIN ?

— Et Jean-Pierre veut plus sortir. Dès qu'il met le pied sur le terrain, quelqu'un débarque avec un micro.

« Oh, mon Dieu ! »

— Il est découragé parce qu'il veut aller voir l'état des bulbes depuis que la neige a fondu. Tu le connais. Il m'appelle trois fois par jour pour me parler des bulbes.

— Qu'est-ce que Monique dit dans la revue ? demande Émily en voyant le chronomètre s'allumer, indiquant la fin imminente de l'appel.

— Elle parle de toi, de ta manie de laisser le pommeau de douche à l'envers, ta sorte de savon, des choses comme ça.

« Oh, mon Dieu ! Mais qui ça intéresse ? »

« AUJOURD'HUI DANS *FUN FUN* : "MON POMMEAU DE DOUCHE EST UN BON FAUX MICRO", NOUS RÉVÈLE ÉMILY. »

— Émily, tu es là ?

— Je dois raccrocher, maman ! l'avertit-elle, les yeux fixés sur la lumière rouge du chronomètre.

— Je serai là dimanche, t'es la meilleure, ma lou…

Clac ! La ligne est coupée avant qu'Annick ait eu le temps de terminer sa phrase. Avant qu'Émily ait pu dire : « Je t'aime, maman. »

Avant qu'elle ait pu lui avouer qu'elle est ravagée d'avoir brisé le cœur de Jérémie. Comme sa mère a brisé le cœur de son père. Et qu'elle est peut-être, finalement, une Salazar bien plus qu'une Faubert…

14.

— J'ai choisi *Hometown Glory* d'Adele.

Madame Mignault fronce les sourcils et monsieur Barbery plisse le nez. Mais Mark Bonin adresse un grand sourire à Émily.

— Pourquoi ? demande Lee, le crayon en l'air, prête à noter ses idées de scénographie.

— Parce que je m'ennuie de ma vie d'avant.

Madeleine Aubin cille quelques instants. Bastien rit en hochant la tête.

« Ben quoi, c'est vrai ! »

— Émily…, commence madame Mignault d'un ton si doucereux qu'on dirait qu'elle veut l'endormir, c'est la finale, ma chérie. C'est ton dernier solo. C'est sur cette chanson que le public va voter pour toi ou pour Kumba. Si tu dis au public que tu t'ennuies de ta vie d'avant, il voudra peut-être pas faire de toi une star.

— Oh, moi, ça me va comme choix, hein ! déclare Kumba en esquissant un sourire complice.

— Kumba ! fait Barbery avec humeur.

— Le public vote pour moi depuis le début, se défend Émily. Alors…

— Il me semble qu'on avait été clairs sur l'idée d'une composition, souligne Barbery. Une chanson qui parle de ton désir de chanter, de briller.

Émily est fatiguée. Épuisée de toujours avoir à s'expliquer. Et surtout, elle sent que l'équipe met sur son dos une pression énorme à cause des cotes d'écoute. Kumba et elle enchaînent les entrevues depuis trois jours. Et si Kumba sort de ces rencontres avec les médias dynamisée à bloc, Émily sent chaque fois qu'on aspire tout son sang. Gloup.

Elle déteste les interminables séances de maquillage et de photographie. Elle en a marre de répondre aux mêmes questions jusqu'à ce qu'elle ait l'impression d'être préprogrammée du cerveau. Oui, elle aime chanter. Oui, elle a une iguane, Oui, elle est amie avec Kumba. Oui, elle est une humaine avec un cœur, un foie, une rate et des pellicules.

— J'arrive pas à composer, je suis trop épuisée, se justifie-t-elle avec humeur. On arrête pas de travailler deux minutes. Vous voulez que je compose quand ? La nuit ? Et puis, cette chanson d'Adele est intéressante musicalement. C'est ça que vous voulez, non?

Un silence.

— Mark, qu'en penses-tu? demande Mignault au professeur de chant.

— La fin de la chanson est effectivement intéressante vocalement. Il y a un *scat* sur lequel on pourrait faire quelque chose, répond-il d'un ton encourageant.

— Pour la mise en scène, je propose des projections de photos. Ton quartier, tes lieux préférés. Ou mieux: des projections vidéo! De ton enfance, de ta vie.

— Heu..., s'interpose Émily.

— Ha, intéressant ça, dit Mignault en mordillant le bout de son crayon.

— Attendez...

— Comme un collage de sa vie, de sa personnalité, de son univers personnel, poursuit Lee.

— L'enfance, oui, ajoute Barbery.

— C'est pas ce que je...

— Projections seulement. Rien d'autre, scène dépouillée. Et sa voix. Et...

— ATTENDEZ! crie Émily.

L'équipe se tourne vers elle d'un coup.

— Qu'est-ce qu'il y a, ma belle? lance Madeleine Aubin.

— Vous voulez projeter des vidéos de mon enfance devant tout le monde? Je viens de dire que je m'ennuie de ma vie d'avant ! Avant ! Justement quand tout le monde voulait pas tout savoir de moi ! Le lien, s'il vous plaît, des vidéos ?

— C'est précisément pour illustrer ce que tu viens de dire, explique doucement Madeleine. Le public va te voir dans ta vie d'avant. Celle que tu veux protéger. C'est très fort au contraire, comme idée.

— Émily va choisir les vidéos, bien entendu, ajoute Mark Bonin à l'intention de toute l'équipe.

— Cela va de soi, lâche Mignault du bout des lèvres, déçue.

Le chanteur fait un clin d'œil à Émily. Il n'y aura donc aucune vidéo où figure son père. Émily sait que ces vidéos existent, mais que sa mère les garde jalousement quelque part, hors de sa portée. Elle-même n'a jamais voulu les voir. Et Mark Bonin vient de lui faire gagner ce point important. Pas de Benoît Faubert en projection.

— D'accord, on garde l'idée, déclare Barbery. Bon, Kumba, qu'as-tu choisi, toi ?

— *Strange Fruit* de Billie Holiday.

Bastien siffle d'admiration.

— Pardon ? fait Mignault. C'est une blague ?

— Non, répond Kumba en contemplant nonchalamment ses ongles.

— Qu'est-ce que c'est ? l'interroge Madeleine Aubin en souriant un peu béatement.

— Une chanson sur le racisme, dit Kumba en dardant son regard noir sur Barbery.

— Kumba, je pense que…

— L'idée de StarAcAdo, c'est qu'on choisit nous-mêmes nos solos, poursuit Kumba. Pour illustrer les goûts musicaux des jeunes. Vous disiez ça dans vos papiers d'inscription. Et moi, je veux chanter *Strange Fruit* en finale. Et je veux chanter avec ma contrebasse. Sans orchestration.

Émily éclate de rire.

— T'es aussi folle que moi ! s'exclame-t-elle. C'est quoi, cette chanson ?

— Hé, *sister*, c'est une compétition, je prends ça au sérieux. Je te l'ai dit, que j'allais gagner.

— Tu parles d'une finale…, laisse tomber Lee en secouant la tête.

— T'es sérieuse ? demande Mark Bonin en cognant compulsivement son crayon sur la tablette devant lui.

— Heureusement qu'on a le numéro de groupe et le duo des filles ! dit Bastien. Sinon je serais au chômage. Y a rien à chorégraphier dans aucun des solos !

— C'est un énorme travail de voix, Kumba, reprend Bonin. T'as des gros souliers à chausser.

— Non non, pas de gros souliers pour moi. Juste la chanson pis…

— Ben non, c'est une expression, la coupe Bonin. Tu vas chanter du Billie Holiday. Tu réalises le niveau de difficulté ? Surtout cette chanson-là ! Tout est dans le jeu, en fait. Dans l'émotion.

— Même Billie Holiday refusait systématiquement de chanter cette chanson en concert, précise Bastien. Penses-y comme il faut, choupette.

— Tu penses être capable ? lance Mignault.

Kumba reste silencieuse quelques instants.

— Je suis Africaine, finit-elle par répondre de sa voix éraillée. Le racisme, je sais ce que c'est. Et je vais chanter ça. Point.

— OK, Kumba, dit Mark Bonin.

— Si tu réussis ça…, murmure Bastien, mais il ne termine pas sa phrase.

« Kumba joue le tout pour le tout », se dit Émily en sentant un début de tournimini lui serrer le ventre.

15.

— Arrête de tourner, tu me donnes le vertige, dit Emma.

— Je capote ! JE CAPOTE ! rage Émily qui arpente nerveusement le local d'impro sous les yeux de sa meilleure amie, de William et d'Elton.

— C'est pas si grave, Émily, tempère Emma en tenant la page de journal sur laquelle on peut voir une grande photo d'Annick Salazar avec les mots « La fille du Diable Salazar » écrits au-dessus.

— PAS SI GRAVE ? TU ME NIAISES ? ! crie Émily.

— C'est musti poche, j'en conviens. Mais en même temps…

— Ils se sont servis de ma conversation téléphonique avec ma mère ! ajoute Émily, indignée.

— Cette scène est passée à la télé avant-hier, confirme Elton.

— Tu vois ? TU VOIS ?

— Je sais, Émily. Mais je suis certaine que ta mère sera pas fâchée. Elle est habituée !

— Elle est habituée à se faire appeler « le Diable » au palais de justice. Pas devant tout le Québec !

— Je suis certaine que ça va être correct. Ta mère en a vu d'autres, tsé.

— Ah bon ? fait Émily en toisant Emma. Qu'est-ce que t'en sais ?

— Ben…, répond son amie, les yeux ronds. Ta mère se fait souvent critiquer dans les journaux, tu le sais.

Émily reste interdite.

— Tu savais pas ?

— DE QUOI ???

— Émily…, intervient William sur un ton conciliant, Emma est une exception. Elle lit le journal tous les matins. C'est pas le cas des autres de notre âge. Moi, je la connaissais pas, ta mère.

— T'avais jamais réalisé que ta mère est connue ? ajoute Emma.

Émily, bouche bée, serre les poings quelques secondes. Sa mère dans les journaux ? Elle sait depuis qu'elle est toute petite qu'Annick fait parfois la manchette lors de grands procès médiatisés. Mais de là à penser que sa mère est CÉLÈBRE…

— Moi, je suis même étonné que la nouvelle n'ait pas été publiée avant aujourd'hui, déclare Elton.

— Tu suis les actualités, toi ?

— Heu… non.

Émily déglutit.

— T'es la fille d'Annick Salazar ?! s'écrie Maud en entrant en coup de vent dans le local d'impro avec un exemplaire du même journal.

— Bon, ne manquait plus qu'elle ! marmonne Emma.

— Qu'est-ce que tu fais ici ? demande Elton. Ferme vite la porte avant qu'on nous voie !

— Qu'est-ce que vous croyez ? rétorque Maud. Je le sais depuis le début, que vous vous donnez rendez-vous ici en cachette pendant la journée. Vous êtes pas si discrets que ça : vous allez tous aux toilettes en même temps.

Emma éclate de rire.

— Ça fait que… tu connaissais ma mère, toi aussi ?... fait Émily.

Elle sent qu'elle est sur le point de sauter au visage de ses amis et de les égratigner au sang.

— Ben, je la connais juste depuis aujourd'hui ! répond Maud. Je fais une revue de presse tous les matins pour toi, puisque je suis ton agente. Je lis les journaux pis les revues, pis je colle les articles qui parlent de toi dans…

— HA! la coupe Émily d'un ton victorieux. Je le savais, que c'était pas vrai que tout le monde connaissait ma mère.

— J'ai pas dit « tout le monde », soupire Emma. C'est évident que Maud ne suit pas l'actualité. Elle lit seulement les pages Arts et potins.

— Qu'est-ce que tu veux dire ? lance Maud, vexée.

— Que tu connais pas les enjeux sociopolitiques actuels, dit simplement Emma.

— Heu… oui, je les connais, les jeux !

— Ah oui ? Eh bien, que penses-tu de la situation en Tunisie ? l'interroge Emma, narquoise.

— Eh bien… heu… y a pas un rappeur très populaire là-bas ?

Emma lève les yeux au ciel.

— « Annick Salazar, surnommée le Diable Salazar pour avoir fait acquitter des criminels dangereux notoires comme Charles Casey… », lit Émily qui s'est assise, l'article sur les genoux.

Emma réagit immédiatement :

— C'était pas un criminel, c'était un schizophrène !

— Un quoi ? fait Maud.

— Un rappeur, répond Emma en lui faisant une grimace.

— « … et qui s'est fait connaître pour avoir semé le doute sur la culpabilité des parents dans la triste affaire Béatrice Pinchaud », poursuit Émily.

— Hé ! Je me souviens de cette histoire ! dit Elton. C'était ta mère, l'avocate ? Mes parents ont suivi ça pendant des semaines. Ils ont toujours dit que les parents étaient coupables. C'est pour ça alors que je connaissais le nom Salazar… Ils disaient que l'avocate était folle de les faire libérer, pis que…

— Heu… Elton ? Que dirais-tu de censurer quelques passages de ta pensée ? lance Emma sur un ton qui n'admet aucune réplique.

William regarde Émily avec inquiétude. Celle-ci lui renvoie son regard.

— Ta mère te parle jamais de son travail, n'est-ce pas ? demande-t-il doucement en la fixant de ses yeux verts.

— Jamais. Elle a jamais voulu.

« Je commence à comprendre pourquoi ! »

William va s'asseoir à ses côtés sans dire un mot.

— Je sais que c'est une avocate de la défense, continue Émily. Et je sais qu'elle est détestée dans son milieu pour ça. Tout le monde déteste les avocats de la défense. Elle me le dit depuis que je suis petite. Mais le reste…

Elle lève les yeux vers ses amis. Emma vole à son tour à son secours.

— Ta mère est une brillante avocate. Elle a empêché des gens malades d'aller en prison, comme Charles Casey. Et puis, elle se bat pour que tous aient accès à un système de justice humain. C'est pas toujours tout noir ou tout blanc. C'est une grande, grande avocate, ta mère.

— Bon ben, moi, je comprends rien à ce qui se passe, déclare Maud en balayant l'air de la main. L'humain pis l'inhumain, je m'en fous pas mal. Mais je comprends une chose, ajoute-t-elle, le doigt en l'air : ta mère est connue. Et ça, je sais c'est quoi. Je sais ce que ça fait. Alors, écoute-moi bien, je vais te donner le meilleur de mes trucs : il faut que tu fasses comme si ça te touchait pas. Regarde-moi bien.

Maud commence à déchirer l'article en mille morceaux sous les yeux ébahis des autres.

— Qu'est-ce que… ?

— Tu vois ? Déchire-le, toi aussi. Allez ! Tu vas voir, ça fait du bien. Et après, tu y penseras plus. Ça sera fini.

Émily regarde Maud faire une tempête de neige improvisée avec les petits bouts de papier qu'elle a en main. Elle hésite un moment. Puis elle commence à déchirer la page.

— Voilà ! dit Maud. Détruis ça bien comme il faut.

La page crépite sous ses doigts. Le simple bruit la réconforte un peu. Elle déchire, déchiquette bientôt avec frénésie et lance en l'air en riant la poignée de confettis qu'elle vient de confectionner.

— T'as vu ? lance Maud. Ça fonctionne toujours pour moi.

— OUAIS ! s'exclame Émily en souriant. Ça fait vraiment du bien !

— Est-ce que ça marche aussi avec les examens d'éthique et société ? demande Elton avec un grand sourire.

— J'ai jamais essayé ! répond Maud.

— Haaaaaa ! fait Émily en expirant. C'était top libérateur. Je vais faire ça avec les articles sur moi aussi, je pense.

— Hein ? Comment ça ? s'étonne Emma. T'es ben nunu de dire ça !

— J'en peux plus de me voir partout, explique Émily, ce qui déclenche automatiquement les rires de ses amis.

— Maud, tu es officiellement invitée à te joindre au club du repaire secret, déclare Emma.

— Trop gentil, tsé, il reste juste trois jours avant la fin de l'Académie.

— Ben après, on se réunira chez moi ! dit Émily, tout sourire à l'idée de retrouver son solarium et de voir enfin Maud et Emma s'apprécier un peu.

— Qu'est-ce qui se passe ici ? tonne soudain la voix de monsieur Proteau, le surveillant, qui ouvre brusquement la porte du local où se sont réfugiés les déserteurs.

— Merde, mes parents vont me tuer…, murmure Elton.

— Tu peux dire adieu à ta récompense d'élève modèle première de classe qui se porte dans le cartilage, chuchote Émily à l'intention d'Emma en montrant le *rook*.

— Monsieur, c'était un cas de force majeure, tente d'expliquer celle-ci. Et…

— Retenue pour tous les cinq ce midi, énonce le surveillant avec une joie sadique dans l'œil.

« Prout Proteau », pense Émily.

— Toi qui connais Billie Holiday, murmure Émily à l'oreille de William en sortant du local, tu connais la chanson *Swing Fruit* ?

— *Strange Fruit* ! la corrige William. Oui. Pourquoi tu me demandes ça ?

— Kumba. C'est son solo pour la finale de dimanche.

William s'immobilise et regarde Émily droit dans les yeux.

— C'est complètement casse-cou, dit-il. C'est à cause des commentaires de Barbery sur sa gestuelle trop « africaine » ?

« IDIO-ÉPAISSE ! Comment j'ai pu ne pas faire le lien ? ! »

— Allez, on me suit ! grince Proteau.

16.

— Dis-moi, Ann, est-ce que tu te plaisais ici ? demande Émily en fixant l'iguane qui refuse obstinément de lui offrir même une réaction aussi élémentaire qu'un clignement de l'œil.

Émily écoute sa réponse imaginaire et hoche la tête d'un air entendu.

— Je te comprends, dit-elle en continuant de faire ses bagages. Tu étais toute seule toute la journée dans la Grande Maison, sans pouvoir sortir de ta cage… Moi aussi, je serais devenue verte d'ennui.

Elle jette un coup d'œil circulaire à sa chambre afin de s'assurer qu'elle n'a rien oublié. Puis elle tente de fermer sa grosse valise, sans succès.

— Hé ? Mais pourquoi tu ne fermes plus ? !

Elle tire de toutes ses forces sur la fermeture éclair.

— Tu fermais il y a deux mois, alors c'est quoi, le PROBLÈME ? ? poursuit-elle, sentant venir une vague monstre d'impatience.

C'est le moment que choisit Ann pour tourner la tête vers Émily.

— Toi, ne te mêle pas de ça !

Après le gala de ce soir, Émily ne retournera pas à la Grande Maison ; elle rentrera directement chez elle avec sa mère. Elle a l'impression de retrouver sa liberté, mais cette transition, étrangement, la rend légèrement anxieuse.

— Tu sais ce qu'on va faire demain, Ann ? poursuit-elle en s'asseyant sur sa valise à demi ouverte. Je vais te laisser marcher dans le solarium autant que tu veux. Tu pourras même grimper sur mon lit. Et manger une double ration de grillons sautés pour souper. C'est pas formidable, ça ? Bon, je sais pas trop si madame Alvez va accepter de te cuisiner ça, mais je vais le lui demander. Et puis, je t'amènerai chez Emma. Je suis certaine que tu vas adorer son petit frère Biscuit. Je pourrais aussi t'amener au Débarras Café ! Je pense qu'Alain ne verrait aucune objection à te laisser marcher à ta guise entre les tables, tu sais.

« Je suis en pleine psychose », pense Émily en se mettant la main sur le front.

— Ça avance, les bagages ? s'enquiert Kumba en s'appuyant sur le cadre de la porte.

— Je capote, Kumba. On dirait que je suis en train de devenir folle. J'entends mon iguane me parler. Tu penses que je devrais pendre de l'acétaminophène ?

— Je me posais justement la question pour moi, répond Kumba en s'asseyant sur le lit. Personne ne resterait sain d'esprit à notre place. Je me suis lavé le visage avec mon dentifrice tantôt. Hé, c'est drôle, moi non plus ma valise ne ferme plus.

— Du dentifrice ? Tu me niaises ?! lance Émily en gloussant.

— Hé, c'est pas une blague ! Je me brosse toujours les dents dans la douche. Alors, tantôt, pour me laver le visage, j'ai pris le tube de dentifrice au lieu de la crème dermatologique. C'est l'odeur de menthe qui m'a fait flasher. Oh, et la texture aussi. Très collant, si tu vois ce que je veux dire.

— Hahahahahahahaha ! Top débilos !

— Tu vois…

— Tu sais, il paraît que le dentifrice, c'est bon pour l'acné.

— Heu… je fais pas d'acné, chose, rétorque Kumba, vexée.

— Je sais, mais… heu…

« Les Noirs font-ils de l'acné ? Et est-ce que ça paraît sur leur peau ? »

— On dira que tu t'es fait un traitement préventif, ajoute Émily en s'approchant discrètement du visage de Kumba.

« Aucun bouton en vue. Alors, pourquoi utilise-t-elle une crème dermatologique ? »

— Ouais… Une chance que tout finit ce soir, dit encore Kumba. On vit trop de stress. J'ai presque pas dormi de la nuit.

— Moi non plus !

— On va être épuisées ce soir. En plus, c'est le cocktail après !

— Je sais, je capote.

Après le gala, les candidats devront affronter les journalistes, invités à un cocktail de clôture pour célébrer la fin de la téléréalité. Heureusement, leurs familles auront le droit d'être présentes. Et Émily a invité sa mère ainsi qu'Emma et William.

« OH, QUE J'AI HÂTE QUE TOUT SOIT FINI, OUISTITI ! ! »

— Est-ce que tu penses des fois au moment où ils vont dire le nom de celle qui a gagné ? souffle Kumba.

— Tout le temps.

— Moi aussi.

Les deux amies restent silencieuses un moment.

— Si c'est toi qui gagnes, je suis plus ton amie, dit Kumba, brisant le silence.

— Pareil pour moi !

Elles se regardent et pouffent de rire.

— Sérieux, je suis vraiment folle de trac, poursuit Kumba, soudain grave. Quand je me suis vue sur la couverture du *Fun Fun* hier, j'ai cru pour la première fois que j'avais des chances. Je veux dire… j'ai jamais vraiment pensé que je pouvais te battre, tu sais. Mais, depuis hier, on dirait que je me suis mise à y croire.

« AUJOURD'HUI DANS *FUN FUN* : KUMBA LA BATTANTE », a affiché le numéro paru la veille.

La couverture montrait une photo de Kumba, les sourcils froncés. Toutes les deux en ont bien ri. « La battante ? Heu…le lien ? » Mais Émily a quand même éprouvé un petit tournimini. Elle n'est plus la seule à faire des couvertures désormais. Et Kumba reçoit énormément de lettres de fans depuis l'affaire de « la gestuelle ».

— Ben voyons, s'entend dire Émily, c'est évident que tu peux me battre ! Je le pense depuis le début, moi, ajoute-t-elle en souriant.

Mais c'est un mensonge et Émily le sait. Jusqu'à la semaine dernière, tout le monde prédisait sa victoire à elle. Et maintenant tout est possible. Surtout avec la chanson délirante qu'a choisie son amie.

« Si elle arrive à chanter ça... », a dit Bastien sans aller au bout de sa pensée.

Il avait certainement voulu dire que Kumba pouvait remporter la victoire.

— Avoir su que ma cote de popularité monterait cette semaine, j'aurais pris une autre chanson ! avoue Kumba, comme si elle avait lu dans les pensées d'Émily.

— C'est vrai ?

— Ouais ! J'avais rien à perdre, tsé ? J'étais certaine que tu gagnerais ! Alors, j'ai décidé de chanter un truc complètement fou pour avoir une chance de me faire remarquer. Au risque de me planter. Pour pas être complètement éclipsée par toi.

« Ah ?... »

— Mais maintenant que je deviens populaire, je suis vraiment dans la colle chaude jusqu'aux oreilles, continue Kumba en agitant ses longs doigts. Dire que j'aurais pu chanter un petit Irene Cara bien placé.

— Cari Cara qui ?

— Laisse faire.

Émily sourit. Kumba est vraiment sur les nerfs si elle rate une occasion de montrer l'ampleur de sa culture musicale.

— Bon, Irene Cara, c'est la chanteuse de *Flashdance*, lance-t-elle finalement d'un ton animé. La chanteuse de *Fame*, tsé ?

— Non… Je vois pas.

— *I'm gonna liiiiive foreeeeever*, chante Kumba avec passion. *I'm gonna learn how to fly, hiiiigh*….

— Prout.

— *What a Feeeeeling*?

— *Nada*.

— Voyons, Émily ! Grammy's 1984 ! s'énerve Kumba.

« Voilà la Kumba que je connais », se dit Émily en souriant.

— Ah ouais, ouais…, fait-elle, jouant le jeu.

« Hum. »

— Oh, t'es décourageante des fois, lâche son amie en secouant la tête.

Mais Émily sait pertinemment que Kumba adore être la plus cultivée des deux.

— Tu sais quoi, Kumba ? On devrait se lancer un défi secret pour ce soir ! déclare Émily, excitée.

— Quel genre de défi ?

— Ben, tu sais, comme quand on mange de la fondue. Quand on échappe notre petit bout de viande dans l'huile ou le bouillon, on a une conséquence. Si on perd ce soir, on a une conséquence. T'es partante ?

— J'ai jamais entendu parler de ton affaire de petits bouts de fondue ! dit Kumba en plissant le nez. Tu parles de faire comme dans le jeu « vérité ou conséquence » ?

— Ouais ! Si je perds ce soir, j'ai une conséquence. Si tu perds, tu as une conséquence.

— Mets-en que j'ai une conséquence si je perds ! Je fais pas d'album solo, pis je deviens pas une vedette !

— Sérieusement ! poursuit Émily. On le fait ! Ça va être drôle ! Si tu perds, tu dois... heu...

Elle réfléchit un instant.

— Tu dois tirer la langue devant les caméras !!!

— QUOI ?

— Ben oui, ça va être drôle !

— T'es vraiment complètement idiote ou quoi ?! Je retire tout ce que j'ai dit de gentil sur toi depuis un an.

Mais Émily remarque une lueur d'intérêt dans l'œil de Kumba.

— Et moi ? Et moi ? Qu'est-ce que je dois faire si je perds ? demande Émily, tout sourire.

— Tu veux vraiment qu'on fasse ça ?

— OUI !!!!!

— OK, on le fait, accepte Kumba en souriant de toutes ses dents.

— COOOL ! C'est quoi, ma conséquence ? Oh, ça va être drôle !

— Alors, si tu perds, tu prends le micro et tu dis « Irene Cara » dedans.

— Ben là…, fait Émily, dépitée.

Mais Kumba se tord de rire sur le lit.

— Imagine la scène ! dit-elle, hilare. Personne ne comprendrait pourquoi tu fais ça. Ce serait complètement débile.

Elle hoquette, tellement elle rit en imaginant la scène.

— Bon, on laisse faire le défi, lance Émily.

— TROP TARD ! crie Kumba en riant de plus belle, montrant du doigt une caméra.

« Moi et ma grande bouche », pense Émily, mortifiée.

17.

— Mesdames et messieurs, applaudissez pour la dernière fois les candidats de StarAcAdo !

Le numéro d'ouverture du dernier gala vient à peine de se terminer. Émily sent une énergie folle s'emparer d'elle. Le groupe a interprété une chanson de Daft Punk. Les jeunes chanteurs ont travaillé toute la fin de semaine pour se préparer, en pleurant d'épuisement.

— Mais c'est pas faisable, Bastien ! a rechigné Viva. Tu nous demandes de danser en chantant une affaire qui a pas d'allure. C'est fait par ordinateur, cette chanson-là ! On n'est pas des ordinateurs, on est des chanteurs.

— Pis tu veux qu'on porte tous un casque de moto en plus ?

— Pourquoi un casque de moto ?

— Parce que c'est la signature de Daft Punk, c'est évident, Petit Poil.

— On y arrivera jamais ! a clamé Abiel, en colère.

Mais Bastien a tenu bon. Et Émily doit lui accorder cette victoire. Le numéro génère des réactions incroyables dans le public ce soir.

— Houuuuuuuuuuaaaaaaaaa ! hurle-t-elle en sortant de scène.

Mais sa voix demeure étouffée par son casque de moto. Le micro intérieur étant éteint, personne ne l'entend.

— PROUT ! PET ! CACA ! crie Émily dans le casque.

« Hihihi ! ! »

— BARBERY LE PIPI ! MIGNAULT HALEINE D'AGNEAU !

— J'en peux plus ! souffle Kathryn en retirant son casque, libérant sa chevelure rousse trempée de sueur.

— Quel numéro de fou, *man* ! lance Nathan, qui fait tourner son propre casque à bout de bras.

— Mets-en ! Quelle idée de nous faire danser avec ça sur la tête ! La combinaison de cuir, d'accord. Mais le casque !

— Ben, moi, je me plains pas. Pour une fois qu'on est pas en robe ! lance Romane en se dirigeant vers la loge.

— Je pensais jamais qu'on y arriverait, dit Abiel. Hé, Émily, pourquoi tu gardes ton casque ?

«AUJOURD'HUI DANS *FUN FUN*: ÉMILY FAUBERT PERD LA FINALE, ENFERMÉE DANS SON CASQUE.»

— Émily?

— Quoi? répond l'adolescente en retirant lentement le lourd accessoire de sa tête.

— Ben, j'sais pas. Tu gardais ton casque.

— Ouais, hahaha! J'étais dans la lune…

«… et en train de chercher une excuse pour pas faire mon solo?»

— Vous avez entendu la salle? s'excite Nathan. Les spectateurs sont malades aujourd'hui! C'est la folie!

— C'est parce que c'est la finale.

— Jérémie doit rager devant sa télé, raille Amanda.

— Ben non, fait Kathryn, conciliante. Il était content de partir. Je suis certaine qu'il est heureux pour nous.

Émily sent une pointe de tristesse la piquer au cœur. Le contrat était clair: un désistement équivaut à une annulation. Jérémie ne se joint pas au numéro de groupe. Il ne participera pas à la tournée de l'été non plus. Et il sera absent de l'album promotionnel.

— Ooooh, je me sens pas bien…, déclare Amanda en s'asseyant sur le sol.

«Ben voyons.»

— Quelqu'un a un seau d'eau froide ? demande Nathan, taquin.

Mais Amanda est réellement blême. Et d'un seul coup, elle vomit son souper par terre en éclaboussant les souliers de Romane.

— AAAAAAARKE ! ! ! s'écrie Maxence. Du vomi ! Du vomi ! !

— LEE ! appelle Abiel.

Puis il court vers le fond du couloir de la coulisse.

— Un accident côté cour, annonce calmement un technicien dans un micro.

— C'est le casque, gémit Amanda en reprenant des couleurs. J'étouffais là-dedans. C'était débile de nous faire danser avec ça. Je vais porter plainte contre Bastien. Je vais lui faire perdre son emploi, à cet idiot.

— Franchement ! lâche Viva. Tais-toi donc, Amanda.

— Mes pieds sont pleins de vomi, dit Romane tranquillement en arpentant la coulisse avec ses souliers souillés.

— On va arranger ça, assure Lee en s'approchant d'Amanda. Kumbaaaa ?

— Elle est dans la loge, répond Émily. Elle avait juste cinq minutes pour se changer.

— Allez la chercher, vite, exhorte Lee.

Émily se rue vers la loge avec une fébrilité décuplée.

— Kumbaaaaa ! crie-t-elle en ouvrant la porte. Lee te demande.

— Minute minute, répond son amie du fond de la loge.

— Elle a dit que c'est à toi dans trois minutes. Elle peut pas venir, Amanda a vomi.

— Quoi ?

— Yep.

— Mais j'ai besoin d'elle, moi !

— D'Amanda ?

— Ben non, nounoune. De Lee.

— Oh.

— J'ai une camisole à attacher. Des paillettes à saupoudrer. Quelle plaie de lit, cette Amanda ! Quelle plaie de lit ! Elle pouvait pas attendre quelques minutes avant de vomir ? !

Kumba sort de la loge en vitesse et tente d'attacher le bouton arrière de sa camisole argentée en se regardant dans le miroir. Avec son pantalon de cuir noir et son afro pailleté, elle rayonne. Elle chantonne quelques mesures de *Simply the Best* en parodiant Tina Turner, puis s'exclame :

— OK, c'est le moment. Je m'en vais te battre, *sister* ! lance-t-elle et soufflant un bisou à Émily. Hé, Billie, attache ta tuque au ciel !

Émily sourit en la regardant sortir.

— Je peux pas croire que je m'en viens enlever mon dernier costume de StarAcAdo, déclare

Kathryn avec émotion en entrant dans la loge, suivie de Viva.

— Ouais, moi aussi ça me fait drôle, soupire cette dernière, le visage rougi.

— Hé, les filles, on se calme la larme. On fait une tournée ensemble cet été ! dit Romane qui vient de surgir dans la pièce à son tour, en simples chaussettes.

— Mais c'est pas pareil ! répondent Kathryn et Viva en chœur avant de tomber dans les bras l'une de l'autre en pleurant.

Romane sourit à Émily. Celle-ci lui retourne brièvement son sourire, mais elle n'a pas le loisir de s'épancher. Elle doit maintenant se concentrer sur son solo.

Elle retire sa combinaison de moto noire et enfile une longue robe en velours bordeaux. Puis elle attache à son cou un collier de perles, ajoute un bracelet, des boucles d'oreilles… Sa tenue est totalement glamour. C'est l'effet recherché. En se regardant dans le miroir, Émily ne se reconnaît pas. Elle voit plutôt le reflet d'une Lana Del Rey. Magnifique et artificielle.

— On fait la coiffure, ma belle ? demande l'assistante en s'approchant d'Émily.

— Oui, je suis prête ! répond cette dernière avec aplomb.

Pendant son numéro, Émily doit détruire peu à peu l'image glamour. Morceau par morceau.

Elle va retirer la traîne de la robe, enlever les bijoux, se déchausser. Sous la robe sont cachés une simple jupe et un chandail. Les mêmes que sur la vidéo finale projetée au mur : une vidéo filmée dans sa chambre par Emma l'année dernière, dans laquelle Émily chante dans sa brosse à cheveux.

Le solo, sublime, sera chargé d'émotion.

« Très efficace », a dit Madeleine Aubin à travers ses larmes lors de la générale.

— Je vais remonter tes cheveux avec une simple pince, explique la coiffeuse. Pour tout détacher à la fin de ton numéro, tu n'auras qu'à la retirer comme ça. Tu vois ?

Émily acquiesce. Le stratagème est brillant : son chignon se défait en une seconde. Elle fait deux ou trois essais, puis court rejoindre les autres dans la loge-écran pour voir Kumba chanter. Sa longue traîne se prend deux fois dans les fils électriques qui courent sur le sol, et elle réussit de justesse à éviter de s'affaler par terre.

— Attention ! chuchote un technicien en fronçant les sourcils.

— Émily, cette robe coûte une fortune, la réprimande Lee.

— Alors ? Comment ça se passe ? se contente de demander Émily en s'asseyant nerveusement.

— Non, ne t'assieds pas ! Tu vas faire des mauvais plis dans la robe et...

Mais Émily n'écoute plus Lee. À l'écran, Kumba est magistrale. Debout, sa contrebasse contre elle, la chanteuse fixe l'assistance de ses yeux noirs. Elle pince les cordes de son instrument avec une colère sourde. Sa voix grave glace le sang. Tandis que Kumba chante *Strange Fruit*, un silence de plomb règne dans la loge.

Émily a vu Kumba répéter cette chanson toute la semaine. Acharnée, Kumba a mordu dans les mots, suivant les conseils de Mark Bonin sans rouspéter une seule fois. C'était une première pour la candidate, habituellement revendicatrice. Et puis, Mark Bonin lui a interdit de pleurer en chantant.

— Je sais que cette chanson est horrible. Mais c'est le public qui doit pleurer. Pas toi.

« Dans les incisives, Amanda ! »

Et Mark avait raison. Il est mille fois plus émouvant de voir quelqu'un retenir ses larmes que de le voir pleurer. Ce soir, la voix de Kumba est déchirante. Elle chante l'horreur devant des millions de téléspectateurs. Elle parle de ces Africains que des Blancs ont pendus aux arbres, pour rien. Et sa voix menace de se briser à tout moment.

Puis résonne sur la contrebasse le *si* bémol indiquant la fin du solo. Et au grand désarroi d'Émily, personne n'applaudit.

— Qu'est-ce qui se passe? Qu'est-ce qui se passe?! s'écrie-t-elle en se levant d'un bond, paniquée.

— Chut!

À l'écran, Kumba reste debout dans le silence, les yeux humides. Et un miracle se produit. Dans l'assistance, une personne se lève. Puis une autre. Et une troisième. Des dizaines. Le public se met debout et reste ainsi à regarder Kumba sans applaudir. Comme si un claquement de mains pouvait tout réduire en miettes.

— Oh, seigneur, chuchote Kathryn, les mains jointes.

— Merci, souffle Kumba dans le micro avant de déposer son imposant instrument sur son support et de courir en coulisse.

Émily entend comme les autres le pas empressé de Kumba qui dévale l'escalier jusqu'à la loge-écran, où elle s'arrête face à son amie.

— Je les ai eus, murmure-t-elle en tremblant. Je les ai bien eus.

En quelques secondes, tous les candidats entourent l'adolescente avec tendresse. Et c'est alors que le tonnerre d'applaudissements envahit la coulisse avec violence, comme un tsunami.

— Oh, mon Dieu, écoute ça ! s'écrie Émily en éclatant de rire.

— Écoutez ça ! répète Nathan en secouant la tête. La foule !

— OH, MON DIEU !

— T'as un rappel ! exulte Viva en sautant sur place. Un rappel ! !

— Un rappel !

— QUOI ?

— Elle a un rappel ! crie Nathan en direction de Lee.

Kumba éclate en sanglots. Elle porte ses mains tremblantes à son visage.

— Je… j'ai…

— Elle doit retourner sur scène ! s'exclame Émily.

— Non non, ils vont se calmer, répond Lee. On fait pas de rappel ici, voyons.

— Mais…

— Émily, à toi ! dit alors Lee en lui faisant signe de monter à son tour.

— Ben là !

— Non, Émily. *Go*.

— Je voudrais pas chanter après un numéro comme ça, moi ! lâche Amanda.

— Tant mieux, parce que tu chantes plus en solo de toute façon, siffle Nathan.

Tandis qu'Amanda hausse les épaules, Émily monte jusqu'à la coulisse principale où elle entend madame Mignault tenter de calmer la foule. Puis la dame prononce son nom, et la clameur recommence. Aussi forte.

« Top ouf ! »

Dans le noir de la scène, elle avance tranquillement. Quelqu'un crie : « Émily ! » Elle sait que le projecteur s'allumera dans quelques secondes. Et que le numéro commence par une vidéo dont on n'a pas coupé le son. Elle montre Émily à neuf ans qui minaude devant la caméra de Marie-Pier, un jour où les deux amies avaient joué à faire un spectacle. Émily y fait des folies, debout sur son lit.

— Bonjour, mesdames et messieurs ! fait sa voix chantante de fillette. Je suis Émily Faubert et je vais chanter pour vous.

Le son diminue mais l'image mouvante demeure, alors que l'intro de piano de *Hometown Glory* commence. Émily sent la lumière illuminer sa robe bordeaux.

Et elle lance sa voix. Comme toujours.

À la perfection.

18.

— Les filles, vous êtes toutes les deux de grandes… de très grandes chanteuses ! déclare Mark Bonin en tenant la main de Kumba et d'Émily sur scène, générant des applaudissements bruyants et frénétiques.

Les adolescentes viennent de terminer *Diamonds* et se sont amusées comme des folles à chanter ensemble. Kumba a même eu un fou rire au milieu de la chanson, ce qui a charmé la salle. Les deux filles ont terminé le numéro les mains jointes, levées au ciel. Puis elles sont tombées dans les bras l'une de l'autre devant un auditoire complètement conquis.

— Et vous nous demandez d'en choisir seulement une ?! ajoute Bonin à l'intention du public qui jubile.

— L'idée de faire chanter les deux candidates ensemble était géniale, dit Barbery derrière son pupitre de juge. Les deux voix qui se répondent sont si différentes. La voix grave de Kumba…

« Oui, c'était mon idée ! » pense Émily tout en souriant.

— … est particulièrement mise en valeur avec celle d'Émily.

« Heu… ça veut dire quoi, ça ? »

— C'est un fait, approuve Mignault. Ce sont deux graines de star. Kumba s'est révélée plus tardivement qu'Émily, mais elle n'a rien à lui envier.

— En pleine possession de son corps et de son instrument vocal, complète Bastien.

« Oh, mon Dieu, on dirait que… », songe Émily qui sent son sourire se figer comme du Jell-O au congélateur.

« C'est le public qui décide… pas les juges », se dit-elle pour se rassurer.

— Les filles, vous avez fait un magnifique boulot à l'Académie, affirme Mark en couvant les deux chanteuses d'un regard chaleureux. Vous nous avez fait vivre de grands moments, toutes les deux.

Il semble réellement ému. On dirait qu'il désire protéger ses deux finalistes de l'annonce que l'équipe de StarAcAdo s'apprête à faire.

— Vous méritez toutes les deux de gagner ce soir, ajoute-t-il sincèrement.

Émily pense à madame Gentilly, qui l'a mise en garde, au tout début de l'aventure, contre ce genre de phrases creuses. Mais, sans savoir pourquoi, Émily sent que Mark Bonin pense ce qu'il dit. Elle a toujours senti que le chanteur éprouvait un certain malaise face à l'idée du concours et de l'élimination. Et ce sentiment semble culminer ce soir.

— N'est-ce pas qu'elles méritent de gagner ? demande-t-il à la foule, qui répond en applaudissant à tout rompre.

Kumba lance un regard à Émily. Elle lit la même panique dans ses yeux, et son sourire figé ressemble au sien.

« Oh, mon Dieu, Kumba, que va-t-il se passer maintenant ? » pense Émily.

« Je sais pas ! » semble répondre son amie.

— Mesdames et messieurs, nous avons le résultat du vote du public, déclare alors Barbery en brandissant son bras dans les airs.

« Au secours ! »

Émily sent la main moite de Kumba lui écrabouiller les doigts.

« Ce n'est plus une main, c'est une soupe… »

— Vous avez choisi…

« Non mais, vas-tu dire le nom, espèce de débilos ? ! »

Émily pense à sa mère dans la salle. À William et à Emma, assis côte à côte. Peut-être même que madame Gentilly est avec eux.

« Je n'en peux plus, pitié ! DIS LE NOM ! »

— KUMBA DINAMUKUENU ! crie le directeur de l'Académie.

Sa voix se perd dans les applaudissements, sifflements et exclamations de joie. Des confettis et des ballons tombent du plafond, tandis que l'orchestre sur scène reprend le thème de StarAcAdo. Kumba regarde Émily, raide comme un poteau.

— J'ai gagné ? lui demande-t-elle, dans un sursaut d'incrédulité.

Mais toute l'équipe de StarAcAdo accourt vers elle, et Émily perd son amie de vue. Elle sent que quelqu'un prend sa main pour la conduire discrètement vers l'arrière-scène, mais elle a l'impression de flotter dans l'espace comme un cosmonaute.

« C'est arrivé. C'est arrivé, pense-t-elle, dans un état proche de la catalepsie. Relaxe. Respire. Pense à William. Pense aux raisons de ta venue ici. Plaisir. Chanter. »

Elle réalise que son sourire figé n'a pas quitté son visage et qu'elle serre les poings si fort qu'elle sent ses ongles s'enfoncer dans ses paumes. Devant ses yeux, Kumba réapparaît et commence à réaliser ce qui arrive. Elle saute en l'air comme si la scène était un trampoline géant. Elle crie. Tout le monde tourne autour d'elle et l'embrasse. La musique est tonitruante.

Émily ne sent plus son corps. Peut-être est-elle dans un rêve. Peut-être est-elle dans un autre pays, dans un autre espace-temps. Une chose est sûre : elle n'est plus là. Et pourtant, elle sourit toujours. Mais d'un sourire qui ne lui appartient pas.

« Est-ce que c'est ça, mourir ? ! Peut-être suis-je morte… Je lègue mon iPad à mon iguane. »

Les autres candidats viennent maintenant vers elle sous les confettis et la prennent dans leurs bras. Elle se laisse faire. Elle entend la voix de madame Mignault dire au revoir et merci. Le thème de l'émission semble interminable. Le temps a ralenti, s'étire comme une gomme à mâcher sous une semelle. Elle sent la main de Kathryn sur son épaule. Mais même son épaule n'est plus la sienne.

« À qui est cette épaule ?… »

La foule s'est levée d'un bond pour s'approcher de la scène. Certains candidats ont déjà rejoint les spectateurs. Tiens, les caméras ont cessé de filmer !

« Voilà. C'est fini », se dit Émily.

— Il faudrait que tu viennes avec moi, lui souffle doucement Mark Bonin.

Sous le choc, elle réintègre la réalité en une seconde. Mark est à ses côtés et lui tient la main. C'est donc lui qui…

— Je veux voir ma mère, murmure-t-elle, et elle sent, honteuse, ses yeux s'embuer de larmes.

« Oh non ! Pleure pas ! s'ordonne-t-elle. C'est déjà assez top la honte ! »

— Ma belle…, insiste Bonin avec sollicitude, tu dois venir avec moi avant. C'est important.

— Tout le monde va rejoindre sa famille…, dit Émily, pleurant pour de bon cette fois.

« TOP HONTE À VIE. »

« AUJOURD'HUI DANS *FUN FUN*… »

« Ah non, c'est vrai… c'est fini maintenant. »

— Il faut y aller ! lance madame Mignault en passant devant eux d'un pas rapide.

Mark Bonin sourit à Émily. Celle-ci se laisse entraîner par le chanteur, et tous deux suivent la directrice de l'Académie vers un local situé au troisième étage. Loin de la scène et de la musique, Émily s'entend enfin respirer.

— Où on va ? demande-t-elle en s'essuyant rageusement les joues.

— Quelqu'un veut te voir.

« Oh, Will. OH, MON DIEU, merci. »

Elle n'a qu'une envie : se jeter dans ses bras et y pleurer pendant des années.

Elle suit fébrilement madame Mignault et Mark Bonin jusqu'à la lourde porte de la salle de réunion. C'est la salle d'Inter 3, celle où on l'a conduite à sa première visite, alors qu'elle rencontrait les autres candidats pour la première fois.

Dans la salle, trois hommes sont assis à l'attendre. Mais seulement l'un d'eux s'adresse à elle. Et elle le reconnaît immédiatement.

— Bonsoir, Nikki Pop, dit Luc Trahan.

19.

Émily réchauffe ses mains tremblantes sur le polystyrène du verre de bouillon de poulet que lui a apporté Mark Bonin. C'est une boisson insipide de machine distributrice, et Alain la lapiderait avec des kiwis s'il savait qu'elle boit un tel liquide, mais ça lui occupe les doigts. Après l'effort physique du gala, l'émotion de la finale et la surprise de voir Luc Trahan dans les locaux de StarAcAdo, Émily n'a plus aucun contrôle sur ses nerfs. Alors qu'elle est assise dans un des fauteuils de la salle de réunion, entre Brigitte Mignault et Simon Barbery, tenir un verre canalise son énergie.

« Madame Gentilly me dirait de me concentrer sur le réel. Concentre-toi sur le verre. N'échappe pas le verre. »

Dans la salle de réunion se trouve également un homme qu'elle a croisé les premiers jours de la téléréalité. C'est un des avocats de l'Académie. Il a toujours sa grosse barbe hirsute.

« Que fait-il là ?... OH, MON DIEU ! Ils ont découvert que j'avais menti ! Que je ne compose pas de la musique ! Je meurs une deuxième fois dans la même soirée... Le bouillon. Le bouillon. »

Au grand regret d'Émily, Mark Bonin sort de la salle en catimini et ferme la porte derrière lui. La voilà seule avec les directeurs de l'Académie et leur avocat, en face du plus grand agent d'artistes du pays et de deux de ses gardes du corps.

« Pourquoi des gardes du corps, au fait ?... Oh, mon Dieu... la mafia ? ! ! ! Pour mon mensonge ? »

— Émily, je te présente mes avocats, monsieur Chamberland et monsieur Finn, dit Luc Trahan.

Les deux hommes saluent discrètement l'adolescente.

« Bon, pas la mafia alors. Mais pourquoi tant d'avocats dans la même pièce ? SERAIT-CE À CAUSE DE MA MÈRE ?... Le bouillon, le bouillon. »

— Tu as livré un très beau numéro ce soir, poursuit Trahan.

— Vous étiez dans la salle ?

« IDIO-ÉPAISSE. »

Luc Trahan se contente de rire. Émily ne sait plus où regarder. Elle connaît bien le visage du père de Maud. Tout le pays le connaît. Il porte d'ailleurs ses habituelles lunettes fumées même s'il se trouve à l'intérieur et qu'il fait noir dehors depuis longtemps.

— Vous êtes vraiment comme à la télé... Les lunettes, je veux dire, laisse-t-elle échapper.

« TAIS-TOI ! OH, MON DIEU, TAIS-TOI. »

C'est la deuxième fois qu'elle rencontre le légendaire Luc Trahan, l'homme derrière le succès planétaire de la chanteuse Lola Smith. La première fois, c'était à la soirée de talents amateurs de Saint-Preux. Excitée comme elle l'était ce soir-là, elle n'en a pas gardé de souvenir précis. Avait-il ses lunettes ? Par la suite, elle n'avait fait affaire qu'avec un de ses assistants, Jean-Sébastien Bolduc.

Truc-Bolduc[1].

Elle n'avait jamais revu Trahan le « faiseur de stars » avant aujourd'hui. Et aujourd'hui elle a l'air aussi idiote qu'une... qu'une...

— Tu es adorable, dit alors Trahan en souriant. N'est-ce pas qu'elle est rafraîchissante ?

---

[1] Voir tome 2, *Le premier contrat*.

« Heu… rafraîchissante ?... Bon, il vaut quand même mieux passer pour un brumisateur d'eau que pour une épaisse. »

— Tu dois te demander pourquoi nous sommes là, n'est-ce pas ? demande-t-il.

— Roui, hum. HUM.

Émily a parlé comme Simon Chouinard, avec sa voix qui mue.

« Top pire moment pour avoir un CHAT DANS LA GORGE ! RROUI ? ! »

— Nous avons fait, mon équipe et celle de StarAcAdo, un petit arrangement récemment, explique Trahan derrière ses lunettes fumées.

« Le bouillon. Le bouillon. »

— Je pense que tu connais ton talent, continue Trahan. Et je pense aussi que tu sais ce que je pourrais en faire.

Émily ouvre de grands yeux.

— Vous êtes pas là pour mon mensonge ?

— Pardon ?

— Je… heu… hum. Rien.

« Est-ce que cette bouche va rester fermée, oui ou non ? »

— Je suis là pour t'offrir de te prendre sous mon aile, dit Luc Trahan. Je veux qu'on travaille ensemble, toi et moi.

— Je comprends pas…, balbutie Émily. Il y a deux ans…

— Il y a deux ans, la situation était différente, Émily, la coupe-t-il. Tu étais une petite fille inconnue. Tu avais une belle voix, mais c'était tout. Aujourd'hui, tout le Québec veut que tu sois son amie !

— Mais j'ai perdu… alors…

Elle sent que madame Mignault bout sur sa chaise. Quelque chose lui dit que Barbery et elle ne se retrouvent pas dans cette situation de leur plein gré. Ils semblent contrariés. Néanmoins, ils gardent le silence. Trahan a un ascendant évident sur eux, et Émily s'en réjouit un peu.

« Nanani prout prout. »

— Et puis, je dois admettre qu'il y a deux ans, je me suis trompé sur ton compte, ajoute Trahan calmement.

L'ambiance est si lourde dans la salle de réunion d'Inter 3 qu'Émily redoute à tout moment que des agents du FBI se ruent dans la pièce pour interrompre la transaction. Ou qu'un des sbires de Trahan se jette sur elle pour la ficeler, la mettre dans un sac à patates et la lancer dans le coffre arrière d'une limousine noire. Ou encore…

— Voici ce que je te propose…, dit Trahan en poussant vers elle un paquet de feuilles brochées. Tu vas voir, c'est très différent de la dernière fois, précise-t-il en riant gentiment.

On signe pour cinq ans. Et deux albums. Je veux que tu saches que, moi, je vois beaucoup plus loin que dans cinq ans. Mais on fait comme ça pour commencer. D'accord?

«OH, MON DIEU! Deux albums? DEUX ALBUMS AVEC LUC TRAHAN?!»

— Ça implique beaucoup de choses. On regardera les détails ensemble une autre fois, poursuit-il.

Il dévisage l'adolescente perplexe et hoche la tête. Visiblement, l'agent n'a pas l'habitude de ce genre de réaction lorsqu'il s'intéresse à une chanteuse, et il laisse échapper un autre petit rire, de surprise celui-là.

— As-tu compris ce que j'ai dit, Émily? lance-t-il.

— Oui, c'est pas ça... Heu... je...

«Youhou? Cordes vocales? Cerveau? Pourrais-je recevoir par la poste express une phrase cohérente, s'il vous plaît?»

— Alors, qu'est-ce que tu en penses? demande Luc Trahan.

Émily comprend que les discussions ont eu lieu sans elle bien avant cette rencontre. Elle est partagée entre l'envie de pleurer devant l'incroyable occasion qui s'offre à elle, et hurler d'impuissance.

— Elle est scotchée! s'exclame l'un des avocats de Trahan, tentant de détendre l'atmosphère.

— Émily sort de scène, tempère Barbery. Elle vient aussi d'avoir un choc émotif avec la finale, elle ne doit plus savoir où elle en est. Et ce n'est pas une fille que l'on peut manipuler facilement, vous savez…

Luc Trahan fusille du regard le directeur de StarAcAdo, qui se tait brusquement. Brigitte Mignault s'écrase sur sa chaise.

— Bon, si tu ne veux pas lire le contrat, je vais te dire ce qui est écrit dedans, tranche l'agent. En premier lieu, tu es annoncée dans la programmation de La Lavanderie à Paris pour le mois prochain, en première partie de Lou Simone, pour tester le marché français. Je continue ?

« DE QUOI ? PARIS ?! ! SIMONE QUI ? LE MOIS PROCHAIN ??!! »

— Ensuite, je m'engage dans ce contrat à veiller sur tes intérêts pendant cinq ans. Nous allons enregistrer l'équivalent de deux albums sur ces cinq années, majoritairement avec tes compositions. Nous commencerons cet été le studio et…

— Laissez-lui le temps de tout digérer ça ! intervient encore Barbery sur un ton exaspéré.

Mais Émily comprend que le directeur de l'Académie ne s'en fait pas que pour elle. Quelque chose de plus important est en train de se jouer sous son nez. Quelque chose qui n'a rien à voir avec elle et qu'elle ne saisit pas.

— Excusez-moi, dit-elle d'une petite voix en levant la main comme à l'école.

Tous les yeux se tournent vers elle.

— Dans le contrat de StarAcAdo, poursuit-elle en pensant s'évanouir de fébrilité, j'ai signé pour un an avec les productions. Comment je vais faire les deux contrats en même temps au début, genre pendant l'été et la tournée, tout ça ?

Luc Trahan rit de nouveau. Émily commence à trouver cette habitude méprisante et humiliante.

« On est pas au Festival de l'humour, que je sache ! »

Madame Mignault semble sur le point d'exploser de rage.

— Tu ne feras pas les deux en même temps, Émily, déclare-t-elle en fixant son regard froid sur elle. Nous avons mis un terme à notre contrat avec toi ce matin.

« DE QUOI ?! »

— Et je propose de racheter ce contrat, annonce Luc Trahan.

— Pourquoi avez-vous annulé mon contrat sans m'en parler ? demande Émily à madame Mignault.

— Monsieur Trahan... heu... est persuasif, se contente de répondre cette dernière.

— Allons, Brigitte ! dit Luc Trahan. On s'était entendus pour ne rien cacher à mademoiselle Salazar. Je crois que c'est plus prudent.

Émily sursaute en entendant Luc Trahan utiliser le nom de famille de sa mère. Monsieur Barbery soupire bruyamment.

— Le concours StarAcAdo est un concours de talent amateur, explique le directeur à Émily. Dans le contrat que tu as signé avec nous, il était écrit que les professionnels de la chanson n'avaient pas le droit d'être candidats. C'était ton cas, laisse-t-il tomber d'un ton amer.

— Quoi ? Mais... mais...

— Tu avais déjà signé un contrat professionnel avec monsieur Trahan, Émily, ajoute madame Mignault sur un ton sec. Et tu ne nous l'as pas dit ! Tu n'avais pas le droit de participer à StarAcAdo.

— Mais il ne vaut rien, ce contrat avec les Productions Trahan !! s'écrie Émily en regardant l'agent d'artistes dans les yeux. Vous le savez, vous ! C'est vous-même qui l'avez résilié !

— Mais l'enregistrement a eu lieu, précise l'avocat de l'Académie en sortant de son mutisme. Cela fait de vous, mademoiselle Faubert, une professionnelle de la chanson.

— Ben voy...

— L'important dans tout cela, la coupe l'un des avocats de Luc Trahan, c'est que ce petit détail ne se retrouve pas sur la place publique. StarAcAdo perdrait un peu de son prestige si sa chanteuse vedette se révélait être une professionnelle déjà sous contrat.

L'avocat de StarAcAdo secoue la tête. Émily a le tournis. Elle ne comprend plus rien à tous ces aspects techniques et légaux. Elle se sent comme le ballon entre deux équipes de football enragées.

— Je ne ferai pas la tournée ? demande-t-elle à madame Mignault, d'une voix qui flanche de nouveau.

— Non.

— Ne sois pas déçue, dit doucement Luc Trahan, surpris par sa réaction. C'était juste une tournée provinciale ! Une tournée de groupe, en plus ! ! Quand tu feras une tournée, ce sera pour te mettre en valeur, toi.

— C'est beaucoup d'informations d'un coup pour elle, intervient l'un des avocats de Trahan.

— Oui, peut-être.

— Est-ce que je pourrais voir ma mère ? lance Émily qui sent la panique la gagner.

— Bien sûr, bien sûr ! s'exclame Luc Trahan avec enthousiasme. Tu n'as rien à signer avant une bonne semaine et tu pourras le faire en présence de ta maman. Je suis certain qu'elle ne trouvera rien à redire! ajoute-t-il en faisant un clin d'œil à son avocat.

— OK, souffle Émily qui dépose son verre de bouillon toujours rempli à ras bord.

— Bon! fait Luc Trahan en se levant. Mesdames, messieurs, je crois que cette rencontre est terminée. Je vous souhaite une bonne soirée. Et encore bravo pour cet agréable gala, ajoute-t-il sur un ton teinté de condescendance.

« C'est sûr que c'est pas les Oscars ou les Grammy's! se dit Émily en se souvenant de la présence répétée de Lola Smith à ces deux grandioses événements. OH, MON DIEU! Est-ce que je vais aller aux Grammy's?! »

Elle a l'impression d'avoir assisté à une réunion d'une grande importance où elle n'a pas compris grand-chose, à part qu'elle ne fait plus partie de la tournée d'été de StarAcAdo.

« Il n'y aura ni moi ni Jérémie! » réalise-t-elle soudain.

Voilà sans doute une autre raison pour laquelle Mignault et Barbery sont aussi hargneux. Une tournée sans le duo Saint-Preux obtiendra beaucoup moins de succès.

« Mais il y aura au moins la gagnante! »

Et tout à coup, une petite pensée douloureuse s'insinue dans son esprit. Parce que si son contrat est annulé depuis ce matin, c'est que ce soir, à la finale, elle n'était déjà plus une candidate de StarAcAdo…

Émily a un haut-le-cœur. Elle s'appuie sur le bras de son fauteuil pour respirer.

« Kumba a fait un malheur ce soir. Alors, elle a sûrement gagné pour vrai », se dit-elle en ravalant sa salive acidulée.

Mais elle sait bien que jamais elle ne saura ce qui s'est réellement passé. Elle ne saura jamais si Kumba a gagné par défaut. Elle se fait dès lors une promesse : jamais, de toute sa vie, elle ne révélera quoi que ce soit à Kumba sur ce qui vient de se passer.

20.

— Qu'est-ce que ça te fait d'avoir perdu ?

Émily est épuisée. Il est tout près de vingt-trois heures et on dirait que cette journée en comporte trois. Elle jette des regards désespérés à Emma, en grande conversation avec sa mère dans un coin de la salle de réception. William, lui, se tient en retrait et regarde, amusé, la parade de paillettes et de strass autour de lui.

Le cocktail de clôture de StarAcAdo bat son plein et les journalistes assaillent certains des candidats sans relâche. Émily, en entrevue, répond pour la millième fois à des questions aussi prévisibles qu'un épisode de *Walking Dead*. Entre deux réponses, elle remarque que Maxence et ses parents sont seuls dans un coin et que personne ne vient vers eux, alors que Kumba rayonne sous les flashs depuis des heures. Tout comme elle-même, d'ailleurs.

« On dirait qu'on a gagné toutes les deux… »

— Émily, tu ne réponds pas à ma question ! s'exclame le journaliste.

— Ah… heu… oui, pardon ? Je n'ai pas entendu…, bredouille Émily en rougissant du nez.

« Prenez pas la photo tout de suite ! » pense-t-elle en se frottant le visage pour accélérer la circulation du sang.

— Tu n'es pas trop déçue du résultat de ce soir ?

Si Émily n'a pas répondu un milliard de fois à cette question depuis le début du cocktail, elle se change immédiatement en grenouille.

— Non, pas du tout, répond-elle. J'étais ici pour chanter, pas pour gagner.

« Bliblibliublublabla wrabitt wrabitt. »

— Excusez-moi, c'est une longue journée, ajoute-t-elle en souriant avant de contourner la journaliste.

Et hop !

« Non mais. »

Elle accélère le pas en direction de ses invités, en priant le ciel pour qu'aucun journaliste, aucun producteur, aucun individu volant non identifié (« Un ivni ! Haha ! ») ne l'intercepte sur son passage pour lui parler ou pour la questionner encore et encore. Inconsciemment, elle baisse la tête pour ne pas être reconnue.

« Top débile comme truc, avec ma taille et la robe que j'ai ! »

Pour le cocktail de clôture, Émily et Kumba se sont fait offrir des robes de designers. Au début, Émily ne voulait pas porter une robe qu'elle n'avait pas choisie, mais elle a bien compris qu'il était inutile de tenter de refuser.

— Ces designers veulent avoir de la visibilité ! a dit Lee. Et tout le Québec va vous voir dans les pages mondaines des journaux lundi matin.

« Les pages mondaines ? Pfff. »

Heureusement, la tenue qu'on lui a prêtée lui convient parfaitement. Il s'agit de l'œuvre d'une jeune artiste japonaise, et la robe, dont le buste vert est modeste, s'ouvre comme une corolle rose et rouge à partir des hanches.

Par chance, elle n'a pas hérité de l'horrible sac brun que doit porter Romane. D'ailleurs, où s'est-elle cachée ?

— Émily ! Émily !

Encore des journalistes. Mais Émily feint de ne pas avoir entendu. Elle s'approche de ses amis en regardant toujours le plancher. Plus que quelques pas et elle pourra enfin leur parler.

— Émily ! Avez-vous quelques secondes ? l'interpelle une jeune fille beaucoup trop maquillée avec un énorme micro mauve suivie d'un caméraman qui allume instantanément son appareil et le braque sur son visage.

— Bien sûr! répond Émily en se forçant pour sourire.

« PITIÉ! »

— Vous devez être épuisée?

— Oui.

« Comprends-tu le message? »

— Ce ne sera pas long. C'est pour l'émission *Drôle d'ado*. On voudrait juste que tu prennes le micro et que tu dises: « Ici Émily Faubert, vous regardez *Drôle d'ado*! »

— Heu... c'est tout?

— Ouais!

« Bon, au moins c'est pas long. »

Émily prend le micro mauve, se tourne vers la caméra et dit d'un trait:

— Bonjour à tous! Ici Émily Faubert, vous regardez *Drôle d'ado*! IRENE CARA!

« Hahahaha! Un à zéro pour Émily. »

Puis elle remet le micro à la jeune fille. Celle-ci laisse paraître un léger malaise, incertaine d'avoir bien entendu. Elle se contente de la remercier et s'éclipse rapidement.

« Eh ben! C'est ça, le truc! » se dit joyeusement Émily en cherchant Kumba du regard, sans succès.

— Ma loulou ! s'écrie Annick en se jetant sur Émily. Enfin te voilà ! C'est tellement la folie que je te garde avec moi ! ajoute-t-elle en la prenant dans ses bras.

— Maman, arrête, rigole Émily.

— Tu étais formidable ! lui dit sa mère à l'oreille.

— Tu m'avais pas dit que j'allais passer à la télé ! ! ! s'égosille alors Emma en sautant le plus haut possible pour ne pas être engloutie par le flot de gens tout autour.

— Cool, les projections pendant le solo, hein ? demande Émily. Je voulais te faire la surprise. Tu as aimé ça ?

— C'était musti fou de me voir en gros comme ça, hein, Will ?

Mais William reste silencieux et sourit à Émily. Celle-ci ne peut résister. Elle se dégage de l'étreinte de sa mère et se jette dans ses bras.

— Oh, Will, si tu savais…, lui murmure-t-elle. Je capote.

— Je devine un peu…

— Ah oui ?

« Vive la télépathie amoureuse ! »

— J'ai hâte que tu me racontes tout ça, se contente-t-il de lui répondre à l'oreille.

— Ouais.

Émily remarque que quelques photographes prennent des clichés d'eux.

— Tu vas être dans les journaux demain, Will, dit gaiement Emma en sautillant.

— Ouais, je commence à m'habituer, répond-il en riant.

— De quoi ? Comment ça ? lance Émily, les yeux écarquillés.

— Will était dans le *QUÉBEC VEDETTES* hier, fait Emma avec un grand sourire.

— Noooon ! ?

— Ouais, bon, une petite photo de rien. Pas si pire, tempère William.

— Will, la vedette !

— Ouep.

— Bon, est-ce qu'on s'en va maintenant ? demande Émily, tout sourire à l'idée de leur raconter l'absurde revirement de situation qu'elle vient de vivre.

Mais Annick la regarde, surprise.

— Tu veux pas rester, ma loulou ? Je pensais que…

— Je suis morte de fatigue, j'en peux plus de répondre aux questions, je veux juste être chez moi.

— Mais c'est peut-être la dernière occasion de te faire voir un peu, tu sais…

« Non, pas vraiment. Attends que je t'explique ! » se dit Émily en sentant le début d'un tournimini.

Elle a envie de tout leur raconter, là, maintenant. Or, elle ne peut rien dire avant d'avoir quitté les studios. On le lui a bien fait comprendre. Et elle ne veut pas faire de gaffe.

— Non, non. Je veux m'en aller, insiste-t-elle.

Sa mère la regarde quelques secondes avant d'abdiquer.

— Tes valises sont dans l'auto. Mais j'ai pas l'iguane. Elle est où ?

— Dans le vestiaire.

— Pauvre Ann, dit Emma.

— Quoi ? ! As-tu mis la lumière UV sur elle au moins ?

— Ben oui.

— Pauvre Ann ! répète Emma, outrée.

— Quoi ? Tu es ambassadrice de la SPCA maintenant ? l'interroge Émily en souriant.

— Je suis ambassadrice de toute vie, tu sauras.

— Pfff.

— N'empêche, tu l'as laissée dans un VESTIAIRE.

— Ben, elle bronche pas. Elle réagit jamais à rien. Qu'est-ce que tu veux qu'elle fasse à un cocktail ?

— T'aurais pu lui mettre une petite robe.

— Nia nia nia !

— Quand même.

— Bon ! Allez m'attendre à la sortie, lance Émily. Je reviens tout de suite.

— Tu as hâte à ce point-là de partir ? demande Annick, les yeux ronds.

— T'AS PAS IDÉE ! !

— On se rejoint dans le hall alors, fait Emma avec un petit salut militaire.

Émily court chercher ses affaires. Elle salue rapidement les techniciens et les membres de l'équipe qu'elle a côtoyés pendant toutes ces semaines. Elle ne croise aucun candidat, aucun professeur et elle en est secrètement soulagée. Elle veut seulement quitter cet endroit. Elle tombe alors sur la seule et unique personne qu'elle cherche depuis des heures.

— KUMBA ! Oh, mon Dieu, Kumba ! s'écrie-t-elle en l'étreignant de toutes ses forces.

— Je suis en train de rêver, Émily, j'en suis sûre ! s'exclame Kumba qui la serre également dans ses bras. Ou alors c'est un truc, un piège. Je vais passer dans un spécial comique à la télé pendant les vacances. Tu penses que c'est ça ?

Émily rit doucement.

— Comment tu vas ?

— Je me suis sauvée quelques minutes, j'étouffais. Ils posent tous les mêmes questions, ça rend fou !

— Je sais.

— Ça et le supplice de la goutte !

— De quoi ?

— Le supplice de la goutte ! Tu connais pas ça ? On attache le prisonnier et on…

— Les voilà ! s'égosille un homme avec une caméra grosse comme un climatiseur.

— Oh non…

— Je m'en vais ! leur lance Émily, son manteau Diesel à peine attaché, son fourre-tout Prada sur l'épaule et sa grosse cage à la main.

— Une minute !

— Ma mère m'attend, poursuit-elle en s'éloignant.

— Hé ! As-tu dit « Irene Cara » ? lui crie Kumba alors que les lumières des caméras s'allument autour d'elle.

— OUI ! ! ! hurle Émily en se hâtant vers la sortie.

Au loin, elle entend le rire rauque de Kumba.

— Je suis prête ! lance-t-elle à sa mère et à ses amis qui l'attendent à la sortie.

Emma et William se regardent d'un drôle d'air. À l'extérieur, il y a bien quelques photographes sur le trottoir qui tentent de la retenir, mais Émily continue son chemin, la tête haute.

Quand elle s'écrase enfin sur le siège du passager de la Volvo en expirant et verrouille la portière, elle éclate de rire. Elle rit et rit, sans pouvoir s'arrêter.

Annick pose sa main sur la cuisse de sa fille. William et Emma, assis à l'arrière, tendent le cou. Personne ne dit rien.

— Oh, ma loulou…, finit par soupirer Annick.

— Pourquoi tu ris ? demande Emma d'une petite voix.

Mais le rire d'Émily se mue rapidement en larmes.

— C'est parce que tu as perdu ?

— Ben non, je pleure pas pour ça… Je suis toute mêlée.

Un journaliste se penche vers la voiture et fait signe à son caméraman de vite venir le rejoindre.

« Oh non ! »

L'adolescente n'a pas envie de voir une photo d'elle en train de pleurer demain dans tous les journaux. Surtout qu'elle ne pleure pas parce qu'elle a perdu ! !

« Top trop malentendu », se dit Émily qui a envie de crier « BLAGUE ! ! » par la fenêtre.

Elle pleure parce qu'elle n'a plus de nerfs. Parce qu'elle n'a pas dormi depuis cent ans. Parce qu'elle sait qu'elle retourne chez elle. Parce qu'elle sait que sa vie va changer. Parce que trop, c'est trop. Parce qu'elle éprouve une joie si terrible que son cœur ne comprend plus rien.

Et au moment où Annick appuie sur l'accélérateur, Émily dit entre ses sanglots :

— Je veux un burger. Aux oignons. Extra oignons.

Aujourd'hui quand je vois le ciel,
Je savoure encore le goût du miel.

— Éli et Papillon, *Mille querelles*

21.

— Cooooool, ta chambre ! s'extasie Maud en balayant le solarium du regard.

On est lundi et Émily a manqué cette première journée d'école après le gala. Elle devait se reposer. Il faut dire que le petit groupe est resté au Chic Mick jusque tard dans la nuit.

Comme prévu, les membres du « club-des-déserteurs-du-local-d'impro » se sont rendus directement chez Émily dès la fin de leurs cours.

— Ma pauvre, tu as une tête de cadavre déterré, poursuit Maud en dévisageant Émily.

— Je viens de dormir seize heures en ligne, se défend celle-ci. Je suis juste bouffie, c'est tout.

— Il y a bouffie pis bouffie.

— C'est si terrible que ça ?...

— Ben non, répond William en lui souriant tendrement.

— T'as juste un pli d'oreiller ici, dit Emma en montrant sa joue du doigt et en pouffant de rire.

— Oh.

— Tu aurais dû voir la tête de Jérémie ce matin quand il a vu que tu étais absente ! ajoute Maud, alors que William crispe légèrement la mâchoire. Je pense qu'il voulait te parler.

— Maud, on t'a posé une question tout à l'heure, pis tu nous as dit que tu répondrais une fois rendue chez Émily, lance Emma, changeant volontairement de sujet. C'est le moment de répondre. Est-ce que tu le savais, oui ou non, que ton père mijotait tout ça ?

Tous fixent la jeune fille avec attention. Émily encore plus que les autres.

— Oui, je le savais, que mon père lui ferait signer un contrat, avoue Maud en baissant les yeux. Je m'en doutais, en fait. Il s'intéresse à toi depuis le tout premier gala.

Elton siffle de surprise.

— Pourquoi tu l'as pas dit à Émily ? s'indigne Emma, abasourdie.

— Ben, qu'est-ce que tu voulais que je dise ? J'étais pas certaine à cent pour cent. Tout ce que j'aurais pu dire, c'est que mon père parle d'elle à la maison !

— Ben, tu aurais pu !

— On commençait à être amies, se justifie Maud en regardant Émily. Je voulais pas que…

Emma secoue la tête de découragement.

— Es-tu devenue amie avec moi juste à cause de ça ? tente Émily qui a la fâcheuse impression de revivre la même situation qu'il y a deux ans.

— NON ! J'avais justement peur que tu penses ça ! C'est pour ça que j'ai rien dit.

— Oh.

— Pis j'étais pas au courant qu'il te parlerait hier, s'empresse d'ajouter Maud. Après le gala, il a dit qu'il avait des choses à régler, mais moi je savais rien ! Je te jure ! Il veut plus me parler de ses affaires depuis… heu… ben… depuis ton dernier contrat avec lui… tsé…

— Je comprends pourquoi, fait Emma en pinçant les lèvres.

Le visage de Maud devient blême d'un coup.

— J'ai changé, je vous dis.

— Emma, laisse-la tranquille, dit Émily en réfléchissant.

— C'est vrai, ça, laisse-moi tranquille ! répète Maud, soulagée de voir qu'Émily ne lui en veut plus.

Emma soupire.

— T'as raison, excuse-moi. C'est juste que c'est musti fou, cette affaire-là !

— Je sais, répond Émily.

— Mais tu es certaine d'avoir bien entendu ? demande Elton. Tu vas vraiment faire deux albums avec lui ? Et aller à Paris ?

— J'ai rien signé encore… Mais c'est ce que j'ai compris. Ça allait vite, il y avait plein de trucs légaux que je comprenais pas.

— Capoté !

— Quand est-ce que tu vas en savoir plus ? murmure William.

— Je sais pas. Je vais en reparler à ma mère tantôt. Après le Chic Mick hier, je suis tombée comme une bûche dans mon lit, pis aujourd'hui j'ai juste dormi et bavé sur mon oreiller.

— Heu… bavé ? dit Maud en grimaçant.

— J'ai même pas pris mes courriels ni ouvert mon Facebook. Ça doit être la folie là aussi. Je comprends pas pourtant. J'ai pas gagné !

— Tes vidéos de l'Académie ont des milliers de vues sur YouTube, annonce Elton, excité. Genre cent cinquante mille.

— Ouais ! fait Emma en sautillant sur place.

— De quoi ? ?

— On est allés voir ce matin, confirme-t-elle en souriant de toutes ses dents.

— Ta page Facebook doit avoir explosé, poursuit Elton, les yeux brillants.

— Oh, je veux pas y aller, je pense…

— Ton casier va être plein de courriers du cœur ! s'esclaffe Maud.

— J'avais oublié ! s'écrie Emma en se frappant le front. Alain t'a écrit une lettre ! Elle est où, mustizut ? grogne-t-elle en fouillant dans son sac.

— Une lettre ?

— Oui ! Il était pas assis avec nous hier soir dans la salle parce que… ben… heu…, balbutie Emma.

« À cause de ma mère », se dit Émily avec un petit pincement au cœur.

— Je sais pourquoi, répond-elle simplement pour tirer son amie d'embarras.

— Ben, il m'a quand même remis une lettre pour toi, reprend Emma en lui tendant un papier tout froissé.

— Tu l'as mise dans le broyeur, Emma ? se moque William.

— T'es donc drôle, Will. Toi, c'est ta chambre au complet que tu passes au broyeur.

Émily prend la lettre avec joie. Elle sourit en découvrant les petits caractères tordus bossus de l'écriture d'Alain.

« Pour trois points :

« — Qui écrit encore avec un crayon à mine ?

« — Réponse : Alain.

« — Bingo. Trois points. »

Ma chère nièce

Je voulais juste que tu saches à quel point je suis fier de toi et à quel point j'ai hâte de te voir au café. J'ai inventé un sirop de vanille-cacao que j'ai appelé le StarAcAdo. Maintenant que tu n'es plus suivie par des caméras, pourrais-tu s'il te plaît prendre une petite heure pour venir t'asseoir sur un de mes humbles tabourets, juste pour le plaisir ? Avec tout mon amour.

Alain.

Émily sourit. Elle est soulagée de voir que son oncle a choisi de ne pas parler de ce qui s'est passé avec son père.

— Un sirop de vanille-cacao ? Ouache !

— Je sais, dit William en faisant la grimace. Il m'oblige à ajouter ça dans des smoothies depuis une semaine. C'est pas buvable. Je le soupçonne de faire exprès.

— Comment ça ?

— Ben, c'est sa façon de critiquer StarAcAdo. Tsé, son p'tit côté « À bas le système ! » ?

— Hahahahahaha !

— J'y ai goûté, c'est infect, ajoute Elton.

Il n'y a qu'Elton ou Emma pour dire un mot comme « infect ».

— Maintenant que t'as pas gagné, il va bien mettre de l'arsenic dedans.

— J'ai tellement hâte de retourner au Débarras ! soupire Émily en se laissant tomber sur son lit. Ça fait tellement de bien de ne plus être prisonnière de la Grande Maison. De ne plus me dépêcher, de ne plus avoir des cours tous les soirs, d'avoir une vie ! ! ! Oh, je capote, j'aime la vie !

— Plus pour longtemps, lance Maud. Quand mon père veut travailler avec quelqu'un, il le fait travailler comme un cheval.

— Eh bien, je serai un bon cheval. Un très bon cheval, même. Mais un cheval qui a une vie.

— Franchement !

Mais Émily se rappelle soudain ses épouvantables heures de travail en studio avec l'assistant de Trahan.

« Est-ce que ce sera encore aussi looooooong ? »

— J'espère que, cette fois-ci, il me fera pas chanter une chanson aussi idiote que celle de la dernière fois. Vous vous souvenez de *Vive les ballons* ? Pfffff.

— Je te rappelle que c'est pas UNE chanson qu'il te fera enregistrer, mais un ALBUM avec plusieurs chansons, précise William avec ironie.

— Même DEUX albums ! renchérit Elton en levant deux doigts.

— Oh, mon Dieu, j'en ai pour des années à regarder une console de son ! soupire Émily en se recouchant, découragée.

— Puisque t'as rien signé encore, profites-en pour exiger des choses, dit Maud. Impose qu'on engage un coach pour toi.

— Je peux faire ça ? !

— Ben... oui.

Émily a envie de sauter au coup de Maud pour la remercier d'exister.

— Je vais demander à madame Gentilly ! ! ! crie-t-elle dans un élan de joie. Je vais aller la voir demain !

Mais un voile de tristesse passe sur le visage de ses amis.

— Quoi ? Qu'est-ce qu'il y a ? demande Émily en voyant leur mine atterrée.

— Madame Gentilly..., commence Emma. « Oh, mon Dieu ! »

— Quoi ? Qu'est-ce qui se passe ?

— Elle est dans un centre pour personnes âgées, poursuit Emma tristement. Alain l'a aidée à déménager il y a deux semaines.

— Oh. J'ai eu peur, je pensais qu'elle était morte.

— Eh bien…, fait William en lui prenant la main, tu sais, il paraît que madame Gentilly ne reconnaît plus personne.

Et là, dans la tête d'Émily, c'est le trou noir.

22.

— Émily Faubert ! Que je suis donc contente ! C'est le grand retour ! s'écrie Lune en embrassant l'adolescente si fort qu'elle l'étouffe sur sa poitrine.

« Au secours ! »

— Ah, tu m'en as fait vivre, des émotions, toi ! continue Lune tout en la maintenant contre elle.

« Pis là, tu vas vivre une mort en direct si tu me laisses pas respirer ! »

Lune n'a pas perdu une livre durant les deux dernières années. Aussi ronde et imposante que dans son souvenir, la directrice de production la serre sur son cœur.

— Tu sais, j'ai détesté cette Académie, poursuit-elle. Mais à cause de toi, ma maudite, j'ai suivi tous les épisodes comme une vraie folle compulsive.

« De l'air, quelqu'un ! »

— Ah oui ? demande Émily en suffoquant.

— Elle est extraordinaire, pas vrai ? lance Lune à Annick. Vous devez être bien fière.

— Oui, en effet, répond Annick, qui réprime un rire en voyant Émily complètement écrasée dans les bras de la grosse femme.

— Viens, ma belle fille, dit Lune en relâchant enfin son étreinte. Tu connais les lieux maintenant. Veux-tu un jus ?

« Je veux juste remplir mes poumons d'air. RAAAAAAAH, ça fait du bien. »

— Et vous, madame Salazar, voulez-vous un café ?

— Je veux bien, merci, fait Annick.

— Ah, que je suis contente ! reprend Lune avec un sourire étincelant qui illumine ses grands yeux noisette. Venez avec moi. Monsieur Trahan vous attend.

Annick lance un regard complice à sa fille. Cette fois, il s'agit bien d'une rencontre officielle, puisque l'agent lui-même les recevra.

— Comment ça va depuis ta sortie de la téléréalité ? demande Lune tout en marchant, soufflant comme un ventilateur.

— Top capoté, répond franchement Émily.

— Ça doit, hein ?

— Juste sur le trottoir ce matin, je me suis fait arrêter six fois. Tout le monde me reconnaît dans la rue.

— C'est vrai… j'ai vu ! confirme Annick.

— Bien sûr, tout le monde a écouté StarAcAdo ! s'exclame Lune.

— Je sais. Mais je pensais que puisque j'ai perdu, ben…

— Es-tu folle ? Tu pensais que le fait de perdre te rendrait moins populaire ? C'est le contraire, fille.

— Ben, on dirait, mais je comprends pas pourquoi.

— La petite Africaine, elle a eu un *buzz* dans la dernière semaine seulement. C'est probablement ça qui l'a fait gagner. Son choix de chanson aussi. Mais la vague d'amour, elle a toujours été pour toi, continue Lune en soufflant de plus belle. Et ça va continuer, crois-moi. Les gens t'aiment. Tu peux rien contre ça.

« Ah bon ? ! »

— Nathalie, apporte un café ! jappe-t-elle à l'intention d'une secrétaire toute menue qu'elle pourrait avaler en une bouchée.

— Moi, je pensais qu'en perdant le concours, ce serait fini, dit encore Émily. Mais à l'école, cette semaine, c'était encore plus fou que d'habitude. Tout le monde me regarde pendant les pauses et les dîners. Il y a toujours quelqu'un en train de me regarder. Pis je fais encore la couverture du *Fun Fun* cette semaine ! En passant devant le dépanneur au coin de ma rue, j'ai sursauté. J'étais partout !

— Plusieurs personnes passent devant notre maison pour essayer de voir Émily, ajoute Annick. J'avoue que ça me dérange un peu.

— Ouais, approuve Émily. À la Grande Maison, il y avait des genres de gardes du corps pour empêcher les gens de s'approcher de nous. Mais là…

— Eh ben, habitue-toi, ma fille ! lance Lune avant d'éclater de rire. T'as pas fini. Tiens. On est arrivées. C'est ici.

Lune cogne à la porte et, pendant quelques secondes, Émily croit que son gros poing va déglinguer la charpente.

— Entrez, fait la voix de Luc Trahan.

— Voici la demoiselle et sa maman, dit Lune avec enthousiasme en essuyant la sueur qui dégouline sur son front.

— Aaaah ! s'exclame l'agent en se levant prestement de son fauteuil. Je suis ravi de te revoir, Émily. Enchanté de vous rencontrer, madame Salazar, ajoute-t-il en serrant la main d'Annick.

Émily avise l'un des deux avocats qui se trouvaient à la rencontre de la semaine dernière.

— Asseyez-vous. Est-ce qu'on vous a offert un café ? Du jus ?

— Oui, c'est fait, répond Lune. Nathalie est allée en chercher.

— Bon ! Émily, tu reconnais monsieur Finn, mon avocat.

— Oui, mais où est l'autre ?

Luc Trahan reste interdit quelques secondes avant d'éclater de rire.

« Bon, le retour du Sac-à-Blagues. »

— C'est monsieur Finn qui s'occupe de ton contrat, précise l'agent. Vous avez bien reçu la copie que je vous ai envoyée ? demande-t-il à Annick.

— Oui.

— Bien.

Émily se trémousse sur sa chaise. Elle a parcouru avec sa mère le précieux document durant les derniers jours et a découvert avec joie une clause qui lui garantit une importante compensation financière en cas d'annulation.

— Il annulera pas ce contrat, ma loulou, a dit sa mère en souriant. Il a pas intérêt ! Cette fois, c'est la bonne.

Émily remarque les immenses photos dédicacées de Lola Smith au mur et ressent un tournimini. Elle sait, grâce à Lune, que la méga vedette était venue comme elle avec sa mère, la toute première fois.

— Je vais t'emmener au top comme elle, assure Luc Trahan qui a suivi le regard d'Émily. Tu as tout pour ça.

L'adolescente se recroqueville sur sa chaise. Elle ne peut pas croire une telle chose. Pas encore.

— Pour cela, nous avons quelques modifications à faire, lance sa mère en sortant ses documents.

— Allons-y, répond Trahan en se calant dans son fauteuil et en ajustant ses lunettes fumées.

— Nous voulons un pourcentage plus élevé sur…

Émily laisse alors son esprit dériver. Elle sait que sa mère tente de lui faire gagner une plus grande part de droits sur les profits provenant de ses compositions. Pour elle, ces questions sont futiles. Elle n'y comprend pas grand-chose. Ce qui l'inquiète viendra plus tard dans la conversation.

— Nous sommes d'accord, dit Trahan en lorgnant son avocat. Monsieur Finn, vous ferez les modifications.

Émily voit à son expression sérieuse que sa mère a eu gain de cause.

— Aussi, nous ne sommes pas certaines de l'utilisation du nom Nikki Pop, poursuit Annick. Émily s'est fait connaître sous son vrai nom avec StarAcAdo, et…

— Non, pas question, la coupe Luc Trahan. Justement, il faut se dissocier de StarAc. On garde Nikki Pop. Je ne plierai pas là-dessus.

Émily sourit. Au fond, c'est ce qu'elle voulait.

« Nikki Pop au top ! »

— Émily tient également à avoir un droit de regard sur les chansons choisies et leur orchestration. Elle désire aussi avoir un conseiller avec elle, conseiller qu'elle aura choisi.

— Vous voulez dire : un coach de voix ? C'est une très bonne chose. Nous en avons quelques-uns à vous conseiller et…

— Non, coupe Annick. Émily ne travaille qu'avec SON coach de voix personnel.

« Bon, elle ne le sait pas encore, mais je suis certaine que madame Gentilly va dire oui. Même si elle ne sait plus qui je suis. »

— Bien entendu, répond Luc Trahan.

— Ce n'est pas dans le contrat, insiste Annick.

— Monsieur Finn, prenez note, aboie le gérant. C'est tout ?

— Maintenant, nous avons un problème d'horaire pour les prochains jours.

Émily se redresse. Il s'agit du point le plus important. En lisant les papiers, ces derniers jours, sa mère et elle ont découvert, horrifiées, que le voyage à Paris aura lieu beaucoup plus tôt que prévu.

— Vous avez peur qu'elle s'épuise ? demande Trahan. Vous vous inquiétez pour l'école ? Vous savez, Émily ne sera pas la première à ne pas terminer une année scolaire. Et il existe d'excellents précepteurs pour...

— Ce n'est pas ça. Je fais confiance à ma fille, elle est capable de se discipliner avec des cours privés pour ne pas perdre son année. Seulement, elle a un voyage de prévu dans deux semaines.

Le voyage à Hawaï avec William et ses parents. Voilà le nœud du problème de ce contrat. Émily rêve bien sûr d'aller chanter à Paris. Mais le concert évoqué dans le contrat coïncide avec le voyage payé par les parents de son amoureux. Et Émily ne peut se résoudre à laisser tomber ce voyage. Tout d'abord parce qu'elle en a envie. Et, surtout, parce que ça briserait le cœur de William.

— Il s'agit d'un voyage planifié depuis longtemps, continue Annick. Il faudra trouver une autre occasion pour présenter Émily au public français.

Luc Trahan esquisse un petit sourire narquois. Ce qui, selon Émily, n'est clairement pas bon signe.

— Émily, commence-t-il en tendant son visage vers elle. Lou Simone est le nouveau visage de la pop en France. Tu le sais ?

— La quoi ?

— La nouvelle star montante, précise Trahan. Tout le monde se l'arrache. Elle est en marche pour le Stade de France dans un an. C'est presque impossible de lui imposer une inconnue en première partie de spectacle. Viviana Bart était en lice pour faire cette première partie. Et Mark Bonin aussi.

« Viviana Bart, la vraie ? ? ! Et Mark Bonin ! ! ! »

— Viviana Bart est super connue..., commence Émily. Et Mark aussi. Ce sont des vedettes.

— Ce sont des vedettes ici au Québec et au Canada, mais pas en France. Eux aussi voudraient se faire connaître là-bas. Mais, moi, je me suis arrangé pour que ce soit toi. C'est Émily Faubert qui fait le lever de rideau de Lou Simone à La Lavanderie de Paris.

« Oh ! Mon ! Dieu ! »

— Le lever de rideau ? C'est quoi ?

— C'est comme une première partie. Tu chantes quelques chansons avant la grosse vedette. C'est tout.

— Ah.

— Dès que ton nom va apparaître dans le programme sur le Web, poursuit Trahan, certains agents vont déjà te chercher sur Google. Ils vont vouloir savoir qui est la nouvelle voix du Québec.

— Oh.

— Cette salle est réputée pour faire naître des stars. Une seule fois dans une vie, on a l'occasion de faire La Lavanderie sans être déjà très connue. C'est ce qu'a fait Lola Smith il y a quelques années. C'est ta chance, Émily.

Celle-ci remarque que le pied de sa mère s'agite subrepticement sous l'immense bureau de chêne.

— Pourquoi la salle de spectacle s'appelle La Lavanderie ? demande Émily en sentant le stress l'envahir.

— C'est juste le nom de la salle de spectacle, Émily, répond-il avec impatience.

— Oh, fait Émily qui a posé la question uniquement pour gagner du temps mais qui ne veut pas non plus passer pour une gourde. Je veux dire, poursuit-elle, heu… ça ressemble à « lavande » pis…

« Oh mon Dieu, qu'est-ce que je suis en train de faire ? Trouve une idée, viiite ! »

— Je voulais juste être certaine que c'était vraiment une vraie salle de spectacle, pas une parfumerie.

— Hahahahahaha ! Elle est charmante ! dit Trahan, hilare.

« Ouf ? »

— Oui ma chère, c'est une vraie salle de spectacle, reprend-il en retenant son rire. Et je vais te dire ce qui va se passer. Tu vas chanter trois petites chansons, tu vas charmer tout le monde. Et le lendemain, dans les journaux en France, les gens ne parleront pas de Lou, ils parleront de la petite Québécoise qui faisait le lever de rideau. Je le sais. J'ai déjà vécu ça. Je ne me suis jamais trompé. Et tu as besoin de la France, ma petite fille, pour ensuite aller à Vegas.

« Oh ! Mon ! Dieu ! »

— Mais si tu refuses, si tu préfères ton petit voyage, je ne signe rien avec toi. Moi, je t'emmène aux Grammy's un jour, ou je te prends pas du tout. C'est à toi de voir.

« OH, MON DIEU ! »

Émily regarde sa mère, bouche bée.

— C'est ta décision, déclare Annick.

L'adolescente est soulagée que sa mère n'ait pas dit « MA LOULOU » devant Luc Trahan.

« Top honte. Loulou à La Lavanderie. »

Elle inspire profondément. Bien sûr qu'elle va accepter. Comment refuser ça ? Mais comment le dire à William ?

— D'accord, souffle-t-elle.

« William, je choisis les Grammy's ? »

— C'est une bonne décision, je pense, dit Luc Trahan en s'esclaffant. Tu vas pouvoir faire des voyages autour du monde autant que tu veux, et très bientôt !

« Will, je m'en vais voler la vedette à Lou Machin dans la lavande à Paris ? »

— Veux-tu un jus, ma belle fille ? lui demande Lune avec sollicitude devant son air confus.

— Ah… heu… ouais… Merci.

— Il faudra que tu apprennes à aimer le champagne, maintenant ! lance Trahan en boutade.

« Heu… Hahaha ?… »

23.

— Tu y vas TOUTE SEULE ? s'écrie Emma en roulant une boule de pâte entre ses doigts enfarinés.

— OUI ! répond Émily. C'est ce qu'ils m'ont dit ! Je prends l'avion toute seule. Top capoté, hein ?

Émily est assise sur un tabouret du Débarras et regarde Emma cuisiner par le passe-plat de la cuisine. Alain est tellement occupé avec les clients qu'elle n'a pas pu l'accrocher encore pour lui raconter ce qui lui arrive. Mais elle le soupçonne de retarder le moment où ils se parleront pour la première fois depuis... depuis l'histoire de son père.

— Mais tu vas être toute seule à Paris aussi ? demande Emma.

— Oui, il faut que je me trouve un appart et tout.

— HEIN ?

— Blaaaaaague, rigole Émily. Voyons, Emma, je serais trop perdue, ça serait épouvantable ! Non non, il y a quelqu'un qui vient me chercher à l'aéroport pour m'amener à l'hôtel. Et sur place, le directeur de je sais pas quoi va s'occuper de moi pendant le séjour.

— C'est musti excitant ! C'est presque comme moi à Vancouver.

— Le lien ?

— Quand j'ai gagné Expo-Chung.

— Qu'est-ce qui est excitant ? lance Alain qui passe devant les deux jeunes filles avec un plateau vide.

Émily sourit.

— Oh, rien ! Je m'en vais juste à Paris avec Luc Trahan, dit-elle nonchalamment.

Alain se fige.

— C'est une blague ?! s'exclame-t-il alors qu'Émily secoue la tête, l'œil brillant.

Il en échappe alors sa canne à pommeau qui heurte le pied du comptoir de chrome en tombant, faisant un joli petit « bling ».

— Tu… tu…

— Alain, tu vois bien que c'est juste encombrant, ta canne, affirme Emma en sortant la tête par le passe-plat. Voici le *grilled cheese aubergino* pour la table 8.

— On dit un « derby » ! Pas une « canne » ! s'offusque Alain. ÉMILY ! ! ! crie-t-il. Tu vas à Paris ? Avec Luc Trahan ? Qu'est-ce que c'est que cette histoire ? ? !

— Derby ou pas, c'est encombrant, persiste Emma.

— C'est quoi, un *grilled cheese aubergino* ? s'informe Émily, jouant volontairement avec les nerfs d'Alain.

— On met des aubergines marinées dans un sandwich grillé au cheddar fort. C'est musti mium, ajoute Emma en souriant.

— Hé ho ! Les filles ! Émily ! C'est quoi, l'affaire de Paris ? ? répète Alain.

— Je vais chanter à La Lavanderie la semaine prochaine. Je fais un truc, là, un rideau, un levier de quelque chose. Mais qui a eu l'idée de mettre des aubergines dans le *grilled cheese* ?

— Tu vas faire La LAVANDERIE ? ! s'égosille Alain, les yeux écarquillés.

— Ça doit être bon, des aubergines dans du cheddar fort, poursuit Émily, mine de rien.

— Ouais, c'est Elton qui a eu l'idée, répond Emma.

— Ah ben, si c'est Elton, raille Émily. C'est lui aussi qui t'a suggéré de ne plus porter de *rook* ?

— Heu... youhou ? intervient Alain en levant le doigt. Est-ce que tu sais ce que ça veut dire, faire La LAVANDERIE ? ? ! !

— Ben non, c'est pas Elton, réplique Emma en pouffant. T'avais raison : mon père m'a punie pour la retenue. Je suis restée trois jours sans mettre le *rook*. Pis, là, les trous du cartilage se sont refermés. Je lui avais dit que ça cicatriserait ! Mais il était musti fâché. Alain, le *grilled cheese*, c'est pour la 8. Ça va refroidir.

— Vous me faites marcher ?

— Non non, c'est vrai, assure Émily qui tente de contenir un gros rire devant la mine éberluée d'Alain.

— Mais tu sais, au fond, je suis un peu soulagée de ne plus le porter, chuchote Emma en regardant Émily. Je trouvais ça extrêmement inconfortable la nuit, et j'ai maintenant une excellente raison de ne plus le porter sans qu'on pense que j'ai changé d'idée.

— Il y a juste les fous qui ne changent pas d'idée, s'esclaffe Émily.

— Les filles, dites…, tente Alain.

— À PARIS, OUI ! ! ! crient en chœur les deux amies avant d'éclater de rire pour de bon.

— Jésus Marie Joseph, fait Alain en s'assoyant lourdement sur un tabouret, sonné.

— Tu oublies l'âne, dit Émily en rigolant.

— Et le *grilled cheese*, rappelle Emma. Il faut aller l'apporter à la table 8. Il va vraiment refroidir.

— La Lavanderie..., continue Alain pour lui-même.

— Oui, La Lavanderie.

— La Lavanderie..., répète-t-il avant de déposer le *grilled cheese* sur le plateau et de s'éloigner vers le fond du café.

Les deux filles se regardent, complices.

— Tu avais vraiment réussi à ne rien dire à propos de mon contrat ? demande Émily.

— C'était musti dur. Mais je savais que tu voulais lui annoncer toi-même.

Un moment de silence passe.

— Il est vraiment habillé en mauve, constate Émily en secouant la tête.

— Il a eu envie d'explorer son côté dandy, précise Emma. Je trouve que ce n'est pas mal, le petit look Rufus Wainwright. Mais la canne, vraiment, c'est de trop pour un serveur.

Émily est aux anges. Elle a enfin retrouvé l'ambiance enjouée du Débarras. Bien sûr, le café est bondé de gens qui la dévisagent comme si elle avait trois nez et une bouche dans le front. Emma, du fond de la cuisine, agit toujours comme si le café lui appartenait. Et d'un instant à l'autre, William arrivera de son entraînement d'escrime pour s'occuper du bar à smoothies.

— Je peux pas croire que vous étiez ici tous les jours après l'école pendant que je reprenais la limousine de StarAcAdo, soupire Émily rêveusement. J'avais l'impression que la vie s'était arrêtée pendant que j'étais là-bas.

— Ben non. Tu vois.

— Penses-tu que ça va me faire la même impression la semaine prochaine, quand je vais être à Par…

Mais Émily cesse de parler. Jérémie vient d'entrer dans le café, les cheveux en bataille, sa guitare en bandoulière.

— Salut, Nik !

— Hé, salut ! répond-elle, gênée.

Il prend place à ses côtés et semble aussi mal à l'aise qu'elle.

— Maud m'a dit que tu voulais me parler ? lance Émily en souriant pour chasser le malaise. C'est nouveau, ça ! Depuis des semaines, on dirait que tu me fuis à l'école.

— C'est le monde à l'envers, hein ?

— Ouais, hahaha.

— Hum.

« Bon. »

— Je veux juste pas te parler à l'école, Nik. C'est trop… Il y a trop de monde.

— Ici aussi, non ? rétorque-t-elle en désignant de la main la salle comble.

— C'est pas pareil, fait-il en riant.

— Bon ben, je retourne faire mes trucs en cuisine, moi, dit Emma en lançant un regard à son amie.

« Oui oui, William s'en vient, je sais ! » répond Émily par télépathie.

— C'est vrai, la rumeur ? demande Jérémie sans la regarder dans les yeux.

— Laquelle ? Celle qui dit que j'ai perdu la finale ? blague-t-elle.

Jérémie sourit.

— Non. Celle qui dit que tu feras pas la tournée, toi non plus.

— Les nouvelles vont vite.

— Alors, c'est vrai ? répète-t-il en levant ses yeux bleus vers elle.

— Ouais. Ça va sortir dans les journaux demain.

— Pourquoi ?

— Je suis sous contrat avec Luc Trahan depuis quelques jours. Une vraie histoire de fou.

— Hein ? Tu me niaises ?!

— Je capote. Je m'en vais à Paris !!! J'ai signé pour deux albums.

Jérémie reste silencieux quelques secondes, éberlué.

— Mais c'est… vraiment fou…, balbutie-t-il.

— Je sais. Moi-même, je le réalise pas encore. Je m'en vais là-bas la semaine prochaine pour dix jours.

— Eh ben, si jamais tu cherches un guitariste…, commence-t-il avant d'éclater de rire.

— Ouais.

— Ou un choriste?

— Jérémie Granger qui serait mon choriste? s'esclaffe Émily. J'aimerais bien voir ça. Tu me volerais la vedette en deux secondes.

— Je suis heureux pour toi, Nik, dit-il sérieusement.

— Merci.

— De rien.

— Pis tu sais quoi? C'est avec le nom Nikki.

— Qu'est-ce qui est avec le nom Nikki?

— Ben, ma carrière avec Trahan. C'est avec le nom Nikki Pop. Le nom que tu m'as donné…, précise-t-elle en sentant son nez rougir.

— Ah ouais? fait-il en souriant.

— Ouais.

Jérémie hoche la tête.

— Je vais le prendre comme un compliment, ajoute-t-il avec un clin d'œil.

— Oui.

— Il va donc y avoir un peu de moi dans ta vie, finalement.

— Ouais, haha.

«Heu…»

— Bon. Faut que j'y aille, dit-il en se levant prestement, alors qu'Alain revient vers sa nièce.

— Raconte-moi tout maintenant ! s'exclame ce dernier en se rasseyant à un tabouret du comptoir aux côtés d'Émily.

— Bye, Nikki Pop, lance Jérémie en sortant du café.

— Bye.

« Comme les choses ont changé en deux ans… », pense-t-elle avant de se tourner vers son oncle.

— Je vais chanter là-bas, Alain. Je fais la première partie de Lou Simone.

— QU…qu… QUOI ? balbutie-t-il.

Il bondit comme si le cuir du tabouret l'avait brûlé.

— C'est EXTRAORDINAIRE ! ! ! hurle-t-il en sautant sur place. ÉCOUTEZ, TOUS ! MA NIÈCE S'EN VA CHANTER À PARIS ! crie-t-il à l'intention de tous les clients.

— Alain, arrête, dit Émily en riant.

— À PARIS ! répète-t-il en brandissant sa canne en l'air.

Emma sort la tête de la cuisine et sourit à Émily devant l'exubérance de son oncle. Il faut dire qu'un homme à moustache en habit trois pièces mauve avec une canne à pommeau fait toujours sensation. Et voilà que tous les clients du café applaudissent en sifflant.

« Oh, mon Dieu ! »

— Assieds-toi, Alain.

— Mais il faut fêter ça ! Quand pars-tu ?

— Justement, assieds-toi, répète Émily nerveusement. William est pas au courant de la date de mon départ, pis je veux lui dire comme il faut.

Mais Alain est parti de table en table en chantonnant : « Pariiiiiiiis s'éveiiiiiiiille… »

— Émily ! T'as rien dit à William encore ? demande Emma avec inquiétude en sortant de nouveau la tête par le passe-plat.

Émily plisse les lèvres.

— Pas vrai ?! Il sait pas que c'est la semaine prochaine ??

— Qu'est-ce qu'il y a ? demande Sarah-Jeanne qui vient de se lever de sa table pour féliciter Émily.

— Émily ! C'est musti affreux de l'apprendre comme ça ! s'écrie Emma.

— J'ai essayé de faire changer la date ce matin, alors je me suis dit que ça servait à rien d'en parler avant ! se défend Émily. Je te jure, ma mère a mis le paquet. Mais c'était ça ou il ne signait rien.

— Il a sûrement dit ça pour te faire peur !

— Non non, c'était sérieux.

— Tu vas vraiment chanter à La Lavanderie ? fait Sarah-Jeanne, impressionnée.

— Je vais seulement faire un rideau, souligne Émily en sentant son nez rougir de nouveau.

— Un rideau ?!

— Oui, un truc de rideau.

— Ah, un lever de rideau. Mais c'est génial, Émily !

C'est alors que William entre dans le café, son sac d'entraînement sur l'épaule, une mèche de cheveux mouillés sur le front. Comme toujours, Émily le trouve tellement beau qu'elle en reçoit un coup de gong imaginaire dans les oreilles. Boing.

Son amoureux balaie le café du regard, la repère et lui sourit.

— Will ! Comment ça va ? s'exclame Emma avec un enthousiasme tellement feint qu'Émily a envie de la bâillonner avec du papier collant triple épaisseur.

— Je sors de la douche, j'ai fait aussi vite que j'ai pu ! se défend-il en déposant son sac derrière le comptoir. Où est Alain ?... Oups ! fait-il en apercevant l'accoutrement de son patron.

— Ouais, c'est mauve, dit Émily dans un souffle. Heu... William ? Il faut que je te...

Mais Alain s'approche à grands pas de l'adolescent, extatique.

— Elle s'en va à Paris, mon vieux ! annonce-t-il en le prenant dans ses bras.

— Oui, je sais. Avec Luc Trahan ! répond William en riant. Elle voulait te faire la surprise.

« Mais il y a une autre surprise pour toi, Will… », pense Émily, déconfite.

— Notre petite Émily ! répète Alain. Elle s'en va chanter à Paris ! poursuit-il en tournoyant avec William comme s'il dansait avec Cendrillon.

— C'est confirmé, alors ? demande William à Émily. Tu as vu Trahan tantôt ?

— Heu… oui.

— SUPER ! !

— COOOOOOOL, hein ? fait Alain en libérant enfin William. Elle va chanter à La Lavanderie ! C'est une salle vraiment importante. J'en reviens pas encore ! Comment Trahan t'a eu ça ?

— Je fais un lever de rideau, dit Émily dont le malaise va grandissant.

« Oh, mon Dieu, la situation m'échappe complètement ! »

— Oh, c'est génial ! s'écrie Alain.

Elle croyait pouvoir parler à William tranquillement au comptoir, mais elle réalise soudain que son plan était nullissime. Maintenant, tout le monde est au courant, tout le monde est excité, et ce n'est pas du tout comme ça que ça devait se passer.

« Stoooooop ! » a-t-elle envie de crier.

« Heu… où se trouve le piton Pause sur la manette de la vie ? »

— Le lever de rideau de qui ? demande Sarah-Jeanne, tout énervée.

— Quand ? C'est quand, Émily ? ajoute Alain avec un sourire fendu jusqu'aux oreilles, comme le chat d'*Alice au pays des merveilles*.

« Nous y voilà… »

— Eh ben…, commence-t-elle en fixant Emma, la suppliant du regard de venir la sortir de cette mare de sable mouvant. C'est… heu… bientôt.

— Je pense que la nouvelle est allée un peu trop vite, explique sa meilleure amie en se tordant les mains.

Émily regarde William d'un air contrit. Celui-ci sourit toujours, mais baisse tout à coup les yeux. Elle prie le ciel pour qu'une pluie de grenouilles s'abatte sur le café à cet instant précis. Elle sait qu'il vient de comprendre que c'est la semaine prochaine. Elle sait aussi qu'il fait tout pour ne pas briser la joie du moment.

— Dis-moi seulement que tu ne vas pas là-bas avec Jérémie Granger, blague-t-il en levant ses yeux verts sur elle. Je viens de le voir sortir d'ici.

— Ben non ! Le lien ? répond Émily qui hésite entre le soulagement de constater que William comprend la situation et l'immense peine de le voir cacher sa déception, par amour pour elle.

— J'ai hésité, je te jure que j'ai pensé ne pas y aller, mais..., commence-t-elle.

William ne la laisse pas terminer et la prend dans ses bras.

— Ton rêve, c'est de chanter, lui murmure-t-il à l'oreille. Tu te rappelles ?

— Oh, Will...

Émily sent le poids de trois éléphants obèses quitter ses épaules.

— Alerte à tous ! s'écrie Emma. Cette fille part la semaine prochaine pour Paris toute seule. Il faut qu'elle soit prête.

— Toute seule ? répète Alain, inquiet.

— Je vais te prêter mon *Paris Pocket*, déclare Sarah-Jeanne.

— Je vais te tracer l'itinéraire pour te rendre à l'ambassade, ajoute Alain.

— Attention aux voleurs de passeports en scooter ! prévient Elton. J'y suis déjà allé et c'est plein de bandits !

— Voyons !

— Mais c'est vrai !

— On va se parler sur Skype, dit William sur un ton rassurant.

— Trois thés à l'ail pour la table 2, fait Emma en tendant les verres sur le comptoir.

— Ciel, lance Alain, ils t'y envoient toute seule...

24.

Chère Clémence,

Tu ne devinerais jamais ce qui m'arrive. (Bon, tu sais que j'ai perdu StarAcAdo puisque tu as suivi la finale sur le Web mais tu ne sais pas la suite, hahahahaaaaaaaa.) JE M'EN VAIS CHEZ TOI À PARIS ! Bon, pas chez toi genre dans ta maison, ne te mets pas à faire du ménage. Je voulais dire : dans ta ville, dans ton pays.

Je chanterai trois chansons en première partie d'une certaine Lou Simone dans une salle super connue (en tout cas, il paraît). Penses-tu que tu pourras venir m'entendre chanter ? (Heu... me voir ? Scuse.)

J'espère que tu seras pas partie en vacances parce que j'arrive la semaine prochaine pour dix jours. Je commence les répétitions intensives et je ne peux même plus retourner à l'école! C'est débilos, hein? Il paraît que j'aurai un prof privé. Mais ne t'inquiète pas, je t'écrirai quand même. Mon amie Emma va donner mes lettres à notre prof. À moins que tu me donnes ton adresse et qu'on fasse ça par nous-mêmes!

Je ne comprends pas trop ce qui se passe mais on dirait que je suis restée célèbre même si j'ai perdu la finale. C'est top bizarre. Mon amie Kumba, la gagnante, fait moins de pages couvertures que moi. Je n'ai pas pu lui reparler encore, c'est top frustrant. Elle ne répond plus aux textos et sa page Facebook (comme la mienne) a explosé.

Je t'envoie avec ma lettre une photocopie d'une des pages couvertures que je trouve très drôle. Trouves-tu que j'ai un double menton sur cette photo? Hahahaha. Moi, elle me fait rire. Mais se voir partout dans les vitrines de dépanneurs avec deux mentons, c'est pas super tous les jours. Imagine si j'avais une crotte de nez qui dépassait? Je me dis qu'ils arrangeraient ça avec Photoshop. Mais pourquoi ont-ils laissé mon double menton alors?

Bon je te laisse.

Émily

25.

— Ça sent bizarre.

— Ça sent l'antiseptique.

Émily suit Alain dans le couloir du centre pour personnes âgées appelé La Maison des fleurs.

« C'est quoi le lien des fleurs ? »

Elle est dégoûtée de voir que la supposée Maison des fleurs ressemble en tous points à un hôpital, avec ses murs verdâtres, ses rampes en métal qui longent les murs et son odeur insupportable de savon et de pipi. D'ailleurs, elle ne voit aucune fleur nulle part.

« De toute façon, elles faneraient d'intoxication. »

Le lieu est épouvantablement déprimant et Émily se retient depuis plusieurs minutes pour ne pas prendre ses jambes à son cou.

— Es-tu certaine que tu veux aller la voir ? demande Alain qui a remarqué l'embarras de sa nièce.

— Oui ! Je suis certaine qu'elle va accepter d'être mon coach.

— Elle te reconnaîtra pas, Émily, répète son oncle. Elle peut pas être ta conseillère vocale. Son état s'est détérioré pendant la saison de ton émission. On dirait que tu veux pas me croire !

Émily soupire.

— C'est vraiment déprimant ici, dit-elle en avisant un vieil homme visiblement confus, assis dans un fauteuil roulant en plein milieu du couloir.

— Ouais, ça l'est, acquiesce Alain. Sa chambre est juste là.

Émily essuie ses mains moites sur sa jupe et entre dans la pièce où se trouve madame Gentilly.

— Oh ! Entre, *dear*, dit son professeur en souriant.

Émily reçoit ce « *dear* » en plein cœur.

« Elle me reconnaît ! Elle me reconnaît ! JE LE SAVAIS ! »

Madame Gentilly est assise à un petit bureau devant lequel Alain a épinglé des photos de personnalités qu'Émily ne connaît pas. Probablement d'anciens collègues d'opéra.

Il y a également une photo d'une salle de spectacle, ainsi qu'un cliché en noir et blanc d'une jeune femme fort jolie qui lui ressemble beaucoup. Quel âge peut avoir madame Gentilly ?

Émily regarde Alain avec excitation. Mais celui-ci ne bronche pas.

— Bonjour, madame Gentilly ! ! lance Émily. Vous m'avez tellement manqué ! Vous aviez raison pour tout à StarAcAdo ! Et je…

— Tu es venue de New York ? demande la vieille dame en souriant.

— Quoi ? Heu… je…

— Je suis arrivée ce matin, poursuit madame Gentilly. Il pleuvait *as hell* sur Canal Street et j'ai attendu le taxi sous la pluie une heure au moins. Tu as trouvé un taxi pas trop *dirty* ?

Émily jette un regard interrogateur à Alain. Puis elle pose de nouveau les yeux sur son interlocutrice. Elle remarque que celle-ci porte sa robe à l'envers. Mais son maquillage outrancier est aussi réussi que d'habitude.

— Ann, c'est Émily, intervient Alain en s'asseyant à ses côtés. Votre élève, Émily Faubert.

— Mais je sais ! Tu me prends pour *an idiot* ? J'ai vu son visage sur un magazine en bas, à la pharmacie, répond-elle avant de reporter son attention sur Émily. Alors, comment ça va à New York, *dear* ?

— Heu… bien, très bien même ! répond l'adolescente en regardant Alain. C'est aussi formidable que vous m'aviez dit.

« Oh, mon Dieu… »

— Tu as fait quelle salle ? Tu loges dans quel quartier ? Est-ce que c'est Tom Sharpe qui s'occupe de toi ?

— Oui oui, ment encore Émily. Et il est…

— Oh, *God* ! Débarrasse-toi de cet abruti. Il va complètement te pervertir. *It's the devil.*

Émily sourit. Elle éprouve une furieuse envie de pleurer, mais, en voyant son professeur aussi enflammée qu'avant, elle comprend que madame Gentilly n'est pas malheureuse du tout. De fait, celle-ci se met à parler avec animation de gens inconnus, de terrasses new-yorkaises fermées depuis des années et des incompétents vulgaires qui peuplent le milieu de la musique.

Émily écoute avec attention, tout en hochant la tête de temps en temps. Madame Gentilly la rabroue au moins trois fois. Signe incontestable qu'elle va bien. Et puis, l'adolescente remarque que son professeur ne réalise pas du tout qu'elle se trouve dans cette petite chambre et non dans son appartement de l'avenue du Docteur-Penfield.

— Je vous ai apporté du thé, dit alors Émily en sortant la petite boîte de son sac.

À sa grande surprise, madame Gentilly pose sa main ridée sur sa joue, en silence.

— Tu ne ris plus en chantant *La Pavane*, j'espère, *dear*?

Émily se fige un instant.

— Non, madame, répond-elle sans oser bouger. C'est grâce à vous.

Son professeur laisse sa main sur sa joue encore un instant. Puis la retire d'un coup, avant de prendre un air surpris.

— Mais Tom Sharpe doit m'attendre! Vite, vite. Vous êtes son assistante?

Alors, la jeune fille prend une décision. Une grosse et folle décision.

— Madame Gentilly, je sais que vous êtes très occupée, mais accepteriez-vous de m'accompagner à une réunion avec un agent?

Alain écarquille les yeux et fait de grands gestes avec les mains.

— Avec Tom Sharpe? demande la vieille dame en faisant une petite grimace de dégoût.

— Non, avec quelqu'un d'autre. Mais dans le même genre.

Alain lève les yeux au ciel, découragé.

— J'en serais enchantée, déclare madame Gentilly, tout sourire.

26.

— Émily ! beugle le père de William en ouvrant la porte à la volée. Michèle ! Michèle ! Elle est arrivée.

Comme toujours, Émily sent ses tympans vibrer sous l'impact de la voix de Marc Beauchamp.

— Entre ! Reste pas là ! poursuit-il. On va pas laisser Émily Faubert dans notre portique ! Quoique ça nous ferait de la visibilité, hein ? dit-il en lui donnant un coup de coude amical qui l'envoie heurter le cadre de porte.

— Heu… ouais, héhé.

« Ouch ! ? »

— Entre donc, viens dans le salon. William ! crie-t-il encore. Émily est arrivée !

— Je suis là, papa, dit William, juste à côté de lui.

— Ah.

— Salut !

— Salut ! répond Émily en souriant.

— Michèle !

— Oui oui, j'arrive.

— Tu t'es pas trop fait arrêter sur la rue en venant ici ? demande William, un sourire en coin, en prenant sa veste en jeans San Remo.

— Juste une fois, fait-elle en riant. Et je commence à maîtriser ma signature.

— C'est fou quand même ! s'exclame le père de William. À Noël, on faisait des farces avec ça... Pis, aujourd'hui, tu signes des autographes !

— Ouais, c'est allé vite, vous avez raison.

Le père de William disparaît quelques instants dans le salon.

— Tu leur as pas dit ? lance Émily à William, surprise.

— Oui, je leur ai dit.

— Que je pouvais pas partir avec vous ?

— Oui.

— Mais... mais... ils sont pas fâchés ?

— Ben voyons, Émily, pourquoi ils seraient fâchés ?

— Youhou ? Ils m'ont payé un billet d'avion, pis moi j'agis comme si je le voulais pas !

— Ben non, ils comprennent la situation.

— Viens nous raconter ça ! hurle le père de William qui vient de resurgir et donne à la jeune fille une tape dans le dos qui la projette presque en Nouvelle-Guinée. Comme ça, tu t'en vas à Paris?

— Oui, dit Émily, qui se sent aussi à l'aise qu'un poisson hameçonné.

La mère de William arrive à son tour dans le salon avec un pichet de jus de melon.

— C'est pour nous faire patienter un peu avant le souper.

— Merci.

— Ma femme a écouté ça toutes les semaines! raconte Marc Beauchamp en la montrant de la tête. Elle a pleuré comme une Madeleine quand t'as pas gagné.

— Oh.

— C'est vrai, confirme la mère de William d'une petite voix. J'en revenais pas. J'avais tellement de peine pour toi.

— Finalement, les choses se passent plutôt bien! fait Émily en riant nerveusement.

— Oui, c'est vrai.

— Qu'est-ce que ça implique, comme contrat? demande Marc Beauchamp en avalant un torrent de jus.

— Cinq ans avec Luc Trahan comme agent. Deux albums en studio avec le lancement, la promo, la tournée. Une série de représentations publiques. Et puis, le « test du marché français », comme il dit.

— Te sens-tu en confiance avec lui ?

— Papa, laisse-la souffler un peu, dit William.

— Oui oui, ça va, répond Émily. Il veut laisser beaucoup de place à mes compositions. C'est avec ça que je vais être présentée en France. Et puis…, poursuit-elle en regardant William, je lui ai révélé le nom du vrai compositeur de musique.

— Tu as parlé de Francis ? !

— Ouais. Je l'ai fait ce matin. Je voulais régler ça. J'étais tannée de traîner mon mensonge.

— Qu'est-ce qu'il a dit ? s'inquiète William.

— Que c'était pas un gros problème, puisque Francis m'a donné les droits des chansons. Mais il a dit qu'il souhaitait le rencontrer, pour la suite des choses.

William frappe ses paumes sur ses cuisses de contentement.

— Une bonne chose de faite !

— Ouais.

— As-tu parlé à Francis depuis ?

— Je lui ai envoyé un texto. Mais il m'a pas répondu encore.

— Il y a du Sarah-Jeanne en dessous de ça, lance William en souriant.

— Ah ? Pourquoi ? Ils sortent ensemble ?

— Je pense que oui.

— Qu'est-ce qui va se passer avec l'école ? demande le père de William qui ne comprend rien aux émois adolescents. Tu vas manquer un bon deux semaines de cours avec Paris !

— En fait, on m'a conseillé de prendre des cours privés pour finir l'année.

— Tu retournes pas à Saint-Preux ?! dit Michèle, les yeux écarquillés.

— C'est pas bon, ça..., assure monsieur Beauchamp en secouant la tête. Quand on fait manquer l'école à William, on paye pour un précepteur réputé. Veux-tu ses coordonnées ?

— Papaaaa...

— C'est pas bon de prendre n'importe qui..., répète-t-il. Ta mère est d'accord pour te laisser te débrouiller ?

— PAPA ! fait William, gêné.

— Heu... oui..., répond Émily, mal à l'aise. Mais c'est pas comme si je perdais mon année. Je vais faire les travaux, je vais passer les examens aussi.

Mais Marc Beauchamp reste renfrogné quelques instants.

— J'ai préparé du vivaneau, annonce Michèle pour briser le malaise. J'espère que tu aimes le poisson.

— Ma femme cuisine le vivaneau à merveille, précise son mari en retrouvant le sourire.

— Oui, c'est parfait ! Merci.

— Paaaaaris, dit encore le père de William dans un souffle. On y est pas allés depuis… depuis 1993.

— Non, 1992, rectifie sa femme.

— On avait bien aimé ça.

— Oh oui.

— William y est jamais allé, lui !

— Il était pas né…

— Exact.

— J'y suis déjà allée, fait Émily, mais je ne me rappelle pas de grand-chose.

— J'avais bien aimé Paris, déclare la mère de William, rêveuse.

— Tu te souviens de la petite terrasse sur une place cachée ?

— Oui, la place Sainte-Marthe.

— OUI, c'est ça ! On avait eu du bon temps.

— Oh oui.

— J'y retournerais bien, moi.

Un silence s'installe. Puis la mère de William se lève pour se rendre à la cuisine.

« Il faudra que j'aille voir c'est quoi, la place Sainte-Marthe ! pense Émily. OH, MON DIEU, je m'en vais à Paris ! »

Il y a des jours où elle ne réalise pas du tout ce qui arrive. Et soudain, à un moment précis, elle reçoit comme une flèche en plein ventre : elle s'en va à Paris.

— William est bien triste que tu sois pas du voyage à Hawaï, lance monsieur Beauchamp.

— Papa, arrête.

— Non, c'est vrai, t'es triste. Je te connais, mon gars.

« Oh, mon Dieu ! 1-800-cauchemar ? »

— Tu vas te languir à Hawaï.

— Ben non, voyons. Je suis super content.

— T'as vu ? dit monsieur Beauchamp, prenant Émily à témoin. Tu trouves qu'il a l'air SUPER content, toi ?

— Heu... je... ben...

« AUJOURD'HUI DANS *FUN FUN* : ÉMILY FAUBERT RETROUVÉE MORTE, ÉTRANGLÉE PAR SON BEAU-PÈRE EN FURIE. »

— J'aime pas ça, voir mon fils malheureux.

« OH, MON DIEU ! » pense Émily en portant inconsciemment ses mains à son cou.

— Surtout quand c'est à propos d'un cadeau de fête ! tonne-t-il.

William se prend la tête à deux mains.

— Michèle ! rugit alors le père de William en faisant un clin d'œil à Émily. Appelle l'agence de voyages. J'ai changé d'idée.

« De quoi ? »

William lève les yeux vers son père, ahuri.

— On retourne à la place Sainte-Marthe ! crie monsieur Beauchamp à sa femme.

27.

— Mamaaaaan ? T'as vu Ann ? lance Émily.

Elle a regardé sous son lit, dans les rideaux, dans les tiroirs, dans le placard... Aucune trace de l'iguane.

— Eh que j'haïs ça quand ça arrive ! dit Annick en faisant irruption dans le solarium, énervée. Tu peux pas t'arranger pour qu'elle reste bien attachée ?

— Mais c'est pas ma faute ! Elle a encore réussi à enlever le bracelet autour de sa patte. Je sais pas comment elle fait, moi.

— Elle va tout crotter et j'ai toujours pas remplacé Monique. J'ai pas que ça à faire, moi, ramasser du pipi de lézard ! Qui ramassait le pipi à StarAcAdo, hein ? Qui ? Qui ? QUI ?

Parfois, Émily est heureuse d'avoir quitté la Grande Maison et d'avoir retrouvé son petit univers. Mais parfois non. Aujourd'hui est une journée « ma mère me ». Dans le sens de « ma mère m'énerve », « ma mère me tombe sur les nerfs », « ma mère m'épuise », et toute autre déclinaison originale possible.

« Est-ce que les mères ont des journées "ma fille me" ? » se demande Émily, soudain troublée par cette pensée.

— Je vais être en retard au bureau, ajoute Annick en sortant du solarium aussi vite qu'elle y est entrée, le cellulaire sur l'oreille. Tu as de la bouffe au frigo, lui crie-t-elle du couloir.

— Aaaann ? Aaaaann ? appelle Émily.

Mais elle sait très bien que l'iguane ne répondra pas à l'appel, puisqu'un iguane est tout le contraire d'un bichon maltais. Avec tout ce que ça implique de bonnes et de mauvaises nouvelles.

« J'en ai marre ! se dit-elle en sélectionnant plutôt une de ses *playlists* préférées sur son iPhone, tout en s'asseyant sur son lit. Marre de chercher mon ridicule animal de non-compagnie. »

Branché aux haut-parleurs, le iPhone diffuse alors la voix de Serena Ryder.

— *I'll caaaarry the weiiiiiight*..., chante Émily en ajoutant l'harmonie.

— ÉMILY !

Annick, de retour dans l'embrasure de la porte du solarium, fait de grands gestes pour attirer l'attention de sa fille.

— Oups… scuse, fait Émily en arrêtant la musique. Quoi ?

Le visage de sa mère est complètement exsangue.

— Il y a un message de Benoît pour toi sur mon cellulaire, dit-elle en lui tendant son téléphone.

— Benoît qui ?

— Benoît Faubert ! précise Annick en lançant son téléphone à bout de bras vers sa fille.

« OH, MON DIEU ! »

— Est-ce que je l'écoute ou… ?

— Ben, c'est toi qui vois, ma loulou, répond Annick, s'asseyant avec difficulté sur la chaise de bureau.

Émily prend le téléphone dans ses mains. Elle le regarde quelques secondes, hésitante.

— Qu'est-ce qu'il veut ?

— Je sais pas, Émily, soupire sa mère. J'ai arrêté d'écouter quand j'ai compris que c'était à toi qu'il s'adressait.

Assise sur la chaise pivotante couverte de peluche rose, avec son tailleur noir et ses escarpins, Annick ressemble à une femme d'affaires perdue au milieu d'une vidéo de Katy Perry. Émily sent qu'elle est pressée et qu'elle doit fulminer de ne pas pouvoir s'élancer en direction de sa voiture. Pourtant, sa mère lui sourit d'un air encourageant.

— Préfères-tu que je sorte pendant que tu l'écoutes ?

— Ben non ! répond Émily. Je sais juste pas quoi faire. Penses-tu que ça se fait, de pas l'écouter ? De l'effacer sans l'écouter ?

— Tu fais ce que tu veux, Émily. Fais seulement attention de ne rien regretter, c'est tout.

« Ouin. »

Émily hésite encore quelques secondes, puis déclenche la fonction message et porte le téléphone à son oreille.

— Oui, bonjour, j'espère que je suis au bon endroit, fait une voix d'homme.

« Oh ! Mon ! Dieu ! »

— C'est le bureau du dentiste Joly, poursuit la voix. C'est pour vous dire que nous vous attendons pour un nettoyage et…

« De quoi ? »

— Maman ! Le lien ? C'est un message de ton dentiste !

— C'est l'AUTRE message.

— Oh.

— Bonjour, madame Salazar, ici Pete Daignault du Collège des médecins du Québec. Je vous appelle pour…

— C'est pas encore ça ! s'impatiente Émily.

— Ah non ?

— C'est un Pete quelque chose.

— Pete ?

— OUI, PETE ! fait Émily, excédée.

« A-t-on idée de s'appeler PETE ? ! »

— Ah, du Collège des médecins ? demande sa mère.

— Eille, en as-tu encore beaucoup, des messages de même, avant que ce soit le bon ? grogne Émily en fronçant les sourcils. Je sursaute à chaque mot !

— Non, il y en a plus d'autres après, répond Annick. Excuse-moi. Le troisième, c'est ton père.

« C'est mieux d'être vrai parce que… »

— Bonjour, Annick, fait enfin la voix de l'homme de la revue. J'aimerais laisser un message à Émily et puisque j'ai pas vraiment de moyens de la joindre, j'ai pensé que… C'était plus facile d'obtenir ton numéro. J'aimerais la voir. J'aimerais que tu lui dises que je voudrais la revoir. Si elle veut. Juste si elle veut. Je te laisse mon téléphone. C'est le 51…

Émily ferme brutalement le téléphone.

— Ça va, ma loulou ? lance Annick, tendue.

— Ouais. C'est juste que ça m'intéresse pas. Point.

— Bon.

— Heu… j'ai juste fermé le téléphone, j'ai pas effacé le message. Peux-tu l'effacer, s'il te plaît? souffle Émily, tendant l'objet à sa mère en tremblant.

— D'accord.

— OK.

— OK.

Aucune des deux ne dit un mot. Malgré son malaise évident, Annick reste assise sur la chaise pivotante. Émily inspire bruyamment.

— Bon ben…

— Veux-tu qu'on en parle, Émily? Je veux dire: de tout ça. On n'en a pas vraiment reparlé, et puis…

— Non non. T'es pressée. Pis j'ai pas le goût.

— T'es sûre?

— Ouais.

— Comment ça se passe avec Alain? demande Annick en fixant le tapis avec une étrange fascination.

— Bien. On en parle pas. C'est correct comme ça.

— Les Faubert, ça parle pas beaucoup, lâche Annick avec un faible sourire.

— Heu… les Salazar non plus, je te dirais! répond Émily en souriant à son tour.

— Pour une chanteuse, t'as tout un ADN de muette, alors!

— Ouais. Hahahaha!

Annick se lève enfin et se dirige vers le couloir lentement.

— Si jamais tu veux…

— Je sais, maman, c'est correct, dit Émily en souriant.

« Finalement, ma mère ne m'agace pas tant que ça. »

— Tu pars demain…, ajoute Annick en changeant de sujet. Faudrait peut-être que tu fasses un peu de ménage dans tes affaires! T'as même pas commencé tes bagages encore!

« Bon, peut-être qu'elle m'agace un peu. »

— Oui oui.

Sa mère se tourne vers elle.

— Le directeur artistique va te prendre à l'aéroport là-bas, hein?

— Oui, maman.

— Tu as bien pris ses coordonnées au cas?

« C'est confirmé. Ma mère me. »

— Oui, maman.

— Et puis, il va venir te chercher et te reconduire tout le temps, et…

— OUI, MAMAN.

— Bon. William t'a donné rendez-vous quand?

— Il arrive là-bas dans trois jours. On se rencontre sur un pont.

— C'est romantique!!!

— Ouais, fait Émily en rougissant.

— Est-ce que c'est le pont Neuf ?

— Me semble que non, mais je me rappelle plus le nom du bon pont.

— Eh bien, ça va mal ! rigole Annick.

— Je l'ai noté ! dit Émily en souriant. Vas-y, tu es en retard. On se reparle ce soir.

Annick lui sourit de nouveau.

— Je t'aime, ma loulou.

— Oui, moi aussi.

Émily baisse les yeux. Elle a une grosse boule au ventre. Puis elle avise une autre grosse boule cette fois sous son tapis pelucheux blanc.

— Oui, je crois que c'est elle, lance sa mère qui a suivi son regard.

— Qui ?

— La bosse. C'est Ann.

28.

— Voulez-vous vous asseoir ? demande Lune à Alain en lui tendant un tabouret.

— Oui, merci, répond-il, tout sourire.

— Alors, vous êtes infirmier ?

— Pardon ?

— Vous accompagnez la dame, dit Lune en montrant madame Gentilly, assise dans le studio et entourée de gens impressionnés de la rencontrer.

— Ah ! Heu... oui ! Non ! Je suis pas infirmier. Je suis un ami.

— Un ami ? fait Lune avec curiosité.

— Oui. En fait, j'ai quitté la musique il y a longtemps. Mais ma nièce voulait un regard extérieur et la personne qu'elle a choisie est... heu... c'est mon ancien professeur de chant. Alors, c'est comme si on était deux regards. Heu. Bon. C'est compliqué.

— C'est une excellente idée, affirme Lune en mordant particulièrement dans le mot « excellente » et en battant des cils.

« En battant des cils ? »

— Vous trouvez ? lance Alain en souriant de plus belle.

— Oui oui.

— Mais je suis surtout propriétaire d'un café et…

— Oh wow ! s'extasie Lune.

— … et je fais le service tous les jours, alors je suis habitué à rester debout des heures… Hahahaha ! poursuit Alain dont le nez est devenu tout rouge.

— Hahahahaha, oui, bien sûr, glousse Lune.

« Hahahaha ? »

Depuis qu'Émily et son oncle sont arrivés au studio des Productions Trahan avec madame Gentilly, Lune et lui ne se lâchent pas des yeux. Lune a commencé par complimenter Alain sur son interminable moustache frisée et il a répondu en lui parlant de Botero.

« Qu'est-ce que le boléro vient faire là-dedans ? »

— Je suis vraiment enchanté de vous rencontrer ! déclare l'un des producteurs à madame Gentilly. Vraiment. C'est un honneur.

— Merci, *dear*, fait-elle d'un ton bourru qui ravit Émily.

Plein de gens de la direction du studio se sont déplacés pour venir saluer la vieille dame. L'un d'eux lui a même demandé de signer un autographe sur un bout de papier.

« Madame Gentilly est vraiment quelqu'un de très important », se dit Émily

— C'est une très bonne idée d'être venue ! s'exclame l'un des employés du studio en cherchant à établir une complicité avec la vieille dame, qui se contente de lui donner un magnifique échantillon de son air excédé.

— On va te faire entendre l'orchestration qu'on a faite, lance Jeff à Émily tout en manipulant les boutons de la console.

Émily est surexcitée. Se retrouver dans un studio des Productions Trahan la transporte de joie. D'autant plus que le technicien a laissé entendre dès son arrivée qu'il était heureux de travailler de nouveau avec elle.

« Moi aussi ! ! ! » s'est-elle écriée dans sa tête.

Pour sa première présence sur scène à Paris, elle chantera ses trois compositions, entourée d'un batteur, d'un guitariste, d'un claviériste et d'un mixeur. Ceux-ci sont déjà en studio depuis de longues heures et semblent bien se connaître. Émily leur sourit timidement.

Ils sont beaucoup plus âgés qu'elle et la situation lui paraît complètement surréaliste.

« MES musiciens !!! Des musiciens professionnels ! » pense-t-elle en se pinçant le dessus de la main pour être certaine qu'elle n'est pas dans son lit, au milieu d'un rêve.

Son regard, curieux, s'attarde sur les deux musiciennes. La première, à la batterie, a des cheveux bruns courts et fins relevés par une barrette sur le côté, et ses lunettes démodées lui donnent un air un peu loufoque. La claviériste a quant à elle les cheveux foncés, bouclés et attachés en une lourde queue de cheval. Le mixeur est plutôt massif et arbore une bouille sympathique.

« Je suis sûre que nous serons amis ! »

Le guitariste, lui, est grand et maigre, et porte les cheveux mi-longs. Son air fermé paraît de prime abord repoussant.

— Vous êtes prêts, les gars ? lance Jeff aux musiciens derrière la vitre.

« On dit "les gars" même s'ils ne sont que deux sur quatre ? » se dit Émily en ayant une pensée pour Francis qui dit toujours « *man* ».

— Oui, prête, *dear* ! répond madame Gentilly.

— Vous êtes confortable, madame ? s'enquiert Lune.

— Vous avez besoin de quelque chose ? demande Jeff.

— Laissez-moi écouter, ordonne la dame en balayant l'air de la main d'un geste impatient.

Les musiciens vérifient leurs instruments, puis se regardent en hochant la tête. Enfin, ils entament l'intro de la chanson qu'Émily a composée sur les oiseaux qui tombent du ciel.

— Mais… mais…, balbutie-t-elle dès les premiers accords.

C'est le choc. Tout d'abord, le rythme est beaucoup plus rapide que celui de la chanson originale. Et le mixeur et le guitariste font entendre une intro de…

« DE MUSIQUE POP ! ! ! OH, MON DIEU ! »

— ICI, crie Jeff par-dessus le son, tu pourrais chanter ta première phrase : « Il y a encore des oiseaux. » Ensuite, faire une espèce de « encor cor cor cor cor ». Tu vas voir, avec le vocodeur, on te montrera tantôt. Puis… « mmmmm, mmmm », fredonne-t-il pour lui donner une idée générale de ce à quoi la chanson pourrait ressembler.

Mais Émily n'a plus besoin d'écouter. Elle se laisse imprégner par cette orchestration fabuleuse. Elle a l'impression d'entendre du David Guetta. C'est…

— TOP COOOOOOL ! ne peut-elle s'empêcher de crier.

— Qu'est-ce que c'est que ce charivari ?! demande madame Gentilly à Alain, les mains sur les oreilles.

— C'est de la musique pop, Ann, répond-il en souriant.

— Tu vois, continue Jeff, tu pourrais chanter ici : « Et les heures passent mais je crois l'espaaaace… », fredonne-t-il.

La batterie s'est arrêtée, ne laissant résonner que les claviers et la guitare basse.

— Et puis : « Moi je l'entends. Poum poum poum », fait Jeff en frappant l'air du poing au même rythme que la batterie, qui vient de reprendre le tempo en force.

« Je RÊVE !! »

— Bon, OK ! lance Jeff en arrêtant les musiciens d'un petit signe. Ça te donne une bonne idée. Alors, ça te plaît ?

Émily se tourne vers Alain, le visage en feu. Mais celui-ci est en train d'expliquer quelque chose à Lune qui l'écoute en riant, la tête penchée sur le côté.

— Alain !!! T'as entendu ça ?!

— Ouais, c'est super, ma pinotte ! Et puis, poursuit-il à l'intention de Lune, le piranha s'est approché de mon mollet, et…

« Tout un conseiller vocal ! » se dit Émily avant de se retourner vers madame Gentilly.

Celle-ci a toujours les mains sur les oreilles et affiche un air renfrogné.

— *Dear*, c'est une catastrophe ! s'exclame-t-elle en secouant la tête.

« Meilleure chance la prochaine fois pour les conseillers vocaux ! »

Émily se tourne enfin vers Jeff.

— C'est... heu... c'est... wow ! Je capote vraiment ! J'adore. J'ADORE !

« JE TOP ADORE ! »

— Ah ! Je suis content, soupire Jeff en hochant la tête. On va faire du bon boulot ensemble. Les musiciens sont satisfaits, aussi. C'est une bonne équipe.

Émily sourit alors à ceux-ci derrière la vitre et lève son pouce en l'air, mais ils parlent entre eux comme si elle n'existait pas.

« Oh ? »

— Ça va rocker, Nikki Pop ! ajoute Jeff en lui donnant une petite tape sur l'épaule. En passant, j'adore ce nom. Nikki POP.

— Merci.

Mais Émily ressent un petit pincement d'inquiétude. Pourquoi les musiciens ne la regardent-ils pas ? Ne seront-ils pas censés former un band ensemble ?

— Alors, à ton tour d'aller de l'autre côté, ma belle fille, dit Lune qui vient de reprendre contact avec la réalité.

Alain sourit à Émily. Et celle-ci comprend que l'air radieux de son oncle n'est pas uniquement attribuable à cette orchestration magnifique, mais aussi et surtout à sa rencontre avec Lune. Et elle s'en veut de n'avoir jamais pensé à ce jumelage parfait : Lune et Alain.

Alain et Lune.

29.

— La fille qui joue de la batterie est tellement étrange !

— Ah oui ? fait distraitement Emma.

— Et l'autre fille, je crois qu'elle est Italienne, ajoute Émily en pliant sa camisole pailletée Ralph Lauren.

— Tu prends du linge d'été aussi ? demande son amie en fouillant dans la penderie du solarium.

— Je sais pas quoi faire ! Certaines personnes me disent qu'il fait déjà chaud au mois de mars à Paris. C'est fou, hein ?

— Attends, j'ai noté des trucs sur le climat…, dit Emma en tournant les pages de son carnet.

— Je suis découragée. On dirait que je viens de défaire ma valise de StarAcAdo, pis il faut déjà que j'en refasse une autre. Je déteste faire des bagages. C'est long et plaaaaate. Je veux des pinottes.

— Aaaaah, les stars ! Elles vivent toujours dans leurs valises, déclare Emma rêveusement en serrant son carnet sur son cœur.

Émily s'imagine vivant dans une énorme valise. Petite cuisine. Petite chambre à coucher. Petite toilette ?

— Pourquoi tu dis que la joueuse de batterie est étrange ? demande William en lâchant la manette de jeu.

— Elle porte des lunettes affreuses, genre de l'ancien temps. Et elle met des barrettes. À son âge !

— Oh. Ce doit être une hipster, tout simplement.

— Une quoi ?

— C'est une mode. Les hipsters.

— Les rastas, les hipsters. Il y en a donc ben, des modes, en musique !

— Tu oublies les Émilymanias.

— Très drôle.

— J'en reviens pas comme les gens capotent quand ils te voient.

— J'aimerais tellement en parler à Kumba, soupire Émily.

— C'est sûr, mais c'est carrément impossible de la joindre, se désole William. J'aimerais bien lui parler, moi aussi.

— En tout cas, les musiciens de Trahan sont GÉNIAUX ! Ils sont extra top. On dirait des musiciens des États-Unis.

— Ben là, Émily ! proteste Emma. Il y a autant de bons musiciens ici qu'aux États-Unis !

— Tu comprends ce que je veux dire. J'avais l'impression d'être Rihanna.

— Ah…

— Mais je me sens pas à l'aise. Ils sont vieux, tsé ? Genre vingt-cinq ans. Pis ils me regardent jamais.

— Peut-être que tu vas apprendre à les connaître là-bas, avance William. Vous allez jouer ensemble sur une scène. Ça va vous rapprocher. Eux aussi, ils vont « tester le marché », si je comprends bien.

— Peut-être. Je sais pas. Comme je te dis, ils me parlent pas pantoute. Mais tu aurais trippé, Will, je te jure. La fille de la batterie, elle est vraiment top. Elle casse le rythme tout le temps, c'est capoté. Tous ensemble, c'est… Oh, mon Dieu, j'ai pas de mots. Débile.

— Ben, c'est peut-être pour ça qu'ils te parlent pas, dit Emma. Si tu parles comme une ado débile comme ça avec eux... « Top, débile, capoté… »

— Tu penses qu'ils me trouvent bébé ?! Oh non !!

— L'important, c'est que tu aimes ce qu'ils font, affirme William calmement.

— Mais je suis gênée. Quand je chante pas, ils font comme si j'existais pas. Je comprends pas. Peut-être qu'ils aiment pas ce que je fais…

— Peut-être, fait Emma.

— Eille, t'es top encourageante, toi ! On dirait Elton. Il déteint sur toi ou quoi ?

— Hahahahahaha !

— Qu'est-ce que Trahan a dit, lui ? poursuit Will.

— Il a rien dit, il était pas là. On est restés sept heures en studio pour essayer les trois chansons. Pis il est jamais venu. Mais le producteur est venu. Et plein d'autres. C'est top compliqué. Il y a des agents, des directeurs, des producteurs… Mais on a rien enregistré. On va le faire en revenant de Paris et…

— Tu prends cette jupe ? la coupe Emma en lui tendant sa jupe en cuir rouge.

— Je devrais ?

William sourit.

— Il faut que tu fasses des choix, Émily.

— Ben oui, ajoute Emma. C'est ça, faire une valise. C'est choisir les vêtements.

— Oui oui, je sais. Bon, OK, je l'apporterai pas.

— Tu la portais sur scène avec nous, dit William avec nostalgie.

— C'est vrai ! Oh, je vais la prendre !

— William ! le gronde Emma.

— William, te rends-tu compte, on s'en va à Paris ! On va tellement tripper !

— Gênez-vous pas ! Je me sens pas du tout comme un bas perdu dans la sécheuse, lance Emma avec ironie.

— Je te l'ai proposé mille fois, Emma Nolin. Je te paye le billet. Et tu veux rien savoir.

— Je veux pas manquer l'école, répond Emma en inspectant une chaussette verte.

— C'est la semaine de relâche. Tu me niaises ? Tu vas manquer juste deux jours !

— Oui, mais c'est deux jours avec des cours de Zelkowitz.

— Je pense pas que ça changerait grand-chose, avec les notes que tu as.

— T'es folle, Émily ? ! Zelkowitz veut me faire entrer à l'université dans deux ans. DEUX ANS ! S'il voit que je suis pas sérieuse, il va changer d'idée. Je peux pas manquer cette chance-là.

Émily sourit.

— Non, tu peux pas, effectivement.

— C'est ce que je me dis.

— Mais promets-moi que tu vas apprendre à envoyer des textos correctement sur le cellulaire que je t'ai prêté. Promets ! Je veux pouvoir te parler. Pis les courriels, c'est complètement *out*. C'est long à écrire, pis…

— Oui, oui, je sais. Tu aimes mieux donner des nouvelles d'illettrés.

— Arrête donc.

— S'écrire en cinq caractères dans un français d'analphabète. Qu'est-ce qu'on va pouvoir se raconter ?

— Arrête, Emma. Tu le sais, que c'est pratique.

— Je sais, je sais. Je l'ai, le cellulaire. Je vais me faire aider par Elton. Bon, vous êtes prêts pour mes notes ? demande-t-elle en montrant son carnet.

— Oui ! répondent Émily et William, assis côte à côte sur les montagnes de vêtements.

— Alors, tout d'abord, commence Emma en s'asseyant sur le lit, il y a la langue.

— Ah ? Mais ça parle français, en France !

— Oui. Mais pour vous faire comprendre, il y a quelques petits ajustements à faire. Par exemple, on ne dit pas de la « soie dentaire » mais du « FIL dentaire ».

— Top utile, merci, pouffe Émily.

— Tu ris mais, grâce à moi, tu ne feras pas rire de toi là-bas. C'est Elton qui me l'a dit. Les Parisiens adorent se moquer des Québécois.

— Ben voyons, fait William.

— Il dit aussi que Paris est une ville où on peut se faire égorger sauvagement à tous les coins de rue, raille Émily.

— Nooooon, il a pas dit ça. Il a parlé des voleurs de passeports. Je vais en parler tantôt au point 2,6. Bon. Pour le vocabulaire, il y a aussi les « TICKETS de métro ». Et non pas des « billets de métro ». Il faut prononcer « tikè ».

— Tikè ?

— « Tikkè », oui, répond Emma. Et puis, les McCroquettes chez McDo, ce sont des McNuggets. Drôle ! Vos passeports doivent être portés dans une ceinture fermée, étanche, sous vos vêtements.

— Ben là, on s'en va pas dans une zone de guerre !

— Tu veux mes notes ou pas ?

— Oui oui, mais…

— Bon, les choses à visiter maintenant. Il y en a beaucoup. Il y a tout d'abord le musée du Louvre parce que…

Mais Émily n'écoute plus le laïus de son amie. Elle regarde son solarium en désordre. Ce soir, elle sera dans l'avion. Toute seule. En route vers une nouvelle vie.

Nos visages fondent dans la nuit incendiée
Nous ramons dans la pluie les chemins étoilés

— Peter Peter, *Les chemins étoilés*

30.

— Veuillez attacher votre ceinture pour le décollage, dit la voix du pilote dans les haut-parleurs.

Émily a les mains si moites que la boucle de sa ceinture lui glisse entre les doigts.

« Oh, mon Dieu. Oh, mon Dieu. »

Elle ne pense plus à sa mère, en larmes derrière la porte d'embarquement. Elle ne pense plus à la vingtaine de personnes qui lui ont demandé un autographe au petit café de l'aéroport. Elle a même oublié sa résolution d'envoyer un texto à Emma pour lui dire : « Je suis dans l'avion. » En fait, elle ne pense qu'à une chose : « Qu'est-ce qui m'a pris de dire oui à ce foutu Trahan ?! »

Seule dans l'avion qui s'apprête à l'emmener à l'autre bout du monde, elle a un moment de panique.

« Inspire. Expire. Inspire. Expire. Inspire. Inspire. Inspire. Heu… attends. Expire ? »

Émily se prend la gorge. Elle est en pleine crise d'hyperventilation.

« Au secours ? »

Les moteurs de l'avion se mettent alors en marche, créant un bruit sourd.

« Je veux plus ! J'ai changé d'idée ! » a-t-elle envie de hurler.

Trop tard. L'avion roule de plus en plus vite sur la piste. Et soudain elle sent l'appareil décoller. Elle est partie. Elle ne peut plus rien faire.

« Inspire. Expi... heu... inspi... MERDE ! Oxygène ? »

Émily regarde au plafond pour s'assurer que s'y trouvent les masques en cas d'accident. Horreur. Ils n'y sont pas.

« Mais où sont-ils, ces trucs ? ? »

— C'est votre première fois ? demande alors son voisin de siège, un homme dans la cinquantaine, fort beau et très bien habillé.

— Blu bli ? balbutie Émily dont le cerveau ne réagit plus aux demandes de communication verbale.

— L'avion, précise l'homme. C'est la première fois que vous prenez l'avion ?

— Aaaaaaah ! crie Émily, incapable de se contenir plus longtemps.

« Bon. Ça suffit. RELAXE. »

— Nooon, souffle-t-elle enfin.

« Yé ! Un mot ! Je suis donc opérationnelle. Allez, un autre petit coup de courage. »

— Je l'ai pris souvent, ajoute-t-elle en tentant de sourire.

— Et vous avez toujours aussi peur ?

— N… non.

« Ce n'est pas l'avion qui me fait peur ! s'offusque Émily. Est-ce que j'ai l'air d'avoir peur en avion ?! Hum. Je viens de crier. Alors, oui. Peut-être un peu… »

— Prenez un verre de vin, ça va vous calmer, dit l'homme en riant.

— Je peux pas. Je suis pas majeure, répond Émily.

— Je sais. Mais on est en première classe ici. Ça ne gênera personne si vous demandez un verre pour vous calmer. Cela dit, mon but n'est pas de vous enivrer. Je suis votre voisin et voyager en avion à côté d'une personne saoule est vraiment pénible, déclare-t-il d'un air taquin.

Émily commence à se détendre un peu en se concentrant sur les paroles de l'homme.

— Vous allez à Paris pour entreprendre votre carrière ?

— Oui. Comment vous savez ça ? demande-t-elle, suspicieuse.

L'homme rit.

— Vous êtes Émily de StarAcAdo. La télévision, ajoute-t-il.

— Oh. Ah. Heu. Oui. C'est moi, bafouille Émily qui aimerait pour une fois passer complètement inaperçue, étant donné la crise de panique ridicule qu'elle vient de faire.

— Je vous ai reconnue, explique le quinquagénaire. Excusez-moi, je ne voulais pas vous déranger. Mais vous aviez l'air vraiment mal en point. Je peux me plonger dans mon livre et ne plus vous parler du voyage.

— Non non, au contraire, ça fait du bien de parler, vous avez raison. J'ai eu un moment de… Oui, je vais à Paris pour chanter. Un truc, un lever. Une première partie de rideau. Je n'ai pas peur en avion du tout. C'est juste… Je voyage toute seule pour la première fois. Et…

« Oh, mon Dieu, je parle beaucoup trop ! »

— Excusez-moi ! Je suis nerveuse, je pense.

L'homme s'esclaffe.

— Vous reprenez des couleurs en tout cas ! Je m'appelle Albert, dit-il en tendant la main.

— Enchantée, je m'appelle Émily.

« Idio-épaisse. Il le sait. »

Mais son voisin de siège fait mine de rien.

— Je vais à Paris pour faire le tour des galeries d'art contemporain. Je suis commissaire.

— Ah ?

« Hein ? »

— Je travaille dans les musées. Je choisis les expositions, précise-t-il devant l'air confus d'Émily.

— Ha ! OK.

— J'y vais deux fois par an. J'adore Paris.

— Ah.

— Vous logerez dans quel arrondissement ?

Émily hésite.

« Pourquoi veut-il savoir où j'habite ? »

Les recommandations d'Emma résonnent dans sa tête. Et s'il avait remarqué qu'elle voyage seule depuis le début ? Est-elle une proie facile pour les voleurs ? Les kidnappeurs sans scrupules ? Les psychopathes assoiffés de sang qui veulent lui dérober son passeport ?

— Moi, je loge dans le onzième arrondissement, s'empresse de dire Albert en percevant l'inquiétude dans les yeux de sa jeune voisine. C'est un beau quartier tranquille. Avec une jolie place appelée Léon Blum. Chaque arrondissement a ses charmes, vous allez voir. Êtes-vous déjà allée à Paris ?

— Oui, mais je me souviens pas de grand-chose, avoue Émily. J'étais petite.

« Si le diable s'habille en Prada, les psychopathes s'habillent-ils en Armani ? » se demande-t-elle en lorgnant le joli veston de son interlocuteur.

— Je vais vous montrer où se trouve mon arrondissement, dit-il en dépliant une petite carte plastifiée de Paris. C'est ici. C'est assez central. Vous avez la tour Eiffel ici. Et les Champs-Élysées là. Et Pompidou ici.

« Le pont Pidou ? »

— Et ça, poursuit-il en lui tendant un rectangle de bristol, c'est mon numéro de cellulaire. Puisque vous êtes seule là-bas, ça pourrait vous rassurer de savoir que vous y connaissez quelqu'un. Je dis ça, mais vous faites comme vous avez envie.

— D'accord, merci, répond Émily en prenant la carte.

Les lettres bourgogne y miroitent. « Albert Malouin. Commissaire. »

— Mon ami vient me rejoindre dans trois jours avec ses parents, ajoute-t-elle. On s'est donné rendez-vous sur un pont. Mais ce n'est pas le pont Pidou. C'est le pont des Arts.

Émily remarque qu'Albert éprouve soudain une énorme envie de rire, mais qu'il tente par tous les moyens de la cacher.

— J'ai dit quelque chose de drôle ?

— Pompidou. Ce n'est pas un pont, c'est le nom d'un centre où on trouve un musée que j'aime beaucoup.

— Oh…

« Moins trois points. »

— Le pont des Arts est mon pont préféré, précise gentiment Albert. C'est un pont sur lequel des centaines d'amoureux accrochent des cadenas en souvenir de leur passage. Mais j'aime surtout ce pont parce que c'était le pont de Serge Gainsbourg et de Jane Birkin.

— Oui, on m'en a parlé. Mais je savais pas pour les cadenas.

— Vous verrez. C'est une idée fantastique de vous retrouver sur ce pont avec votre ami.

— C'était son idée.

— Il doit être intéressant, alors.

Émily doit admettre qu'elle n'est plus aussi paniquée et qu'elle commence à prendre goût à être seule et en plein ciel. Totalement libre.

— Ça va mieux maintenant, dit-elle, reconnaissante.

— J'en suis heureux. Maintenant, je vous souhaite un bon voyage, fait Albert en souriant.

— Merci. Vous aussi.

Puis l'homme ouvre son livre et s'y plonge comme si plus rien n'existait autour de lui. Émily se saisit d'une brochure et commence à la lire. C'est ennuyeux comme un dimanche pluvieux du mois de janvier. On dirait les notes d'Emma.

— Monsieur Albert ?

— Oui ? répond son voisin en levant les yeux de son livre.

— Vous avez des enfants ?

— Heu… non. Je ne suis pas marié.

— Oh.

— Pourquoi vous me demandez ça ?

Émily rougit du nez.

— Je voulais savoir si vous étiez le père de quelqu'un. Ou le grand-père de quelqu'un.

« Qu'est-ce qui me prend de dire ça à un inconnu ?... Est-ce que c'est justement parce que je ne le connais pas ? »

Albert la regarde étrangement. Puis il sort un iPad de son sac.

— On fait un jeu ? Une petite partie de quelque chose, ça vous dirait ? propose-t-il.

— OUI ! s'exclame Émily avec enthousiasme. Vous avez *Rayman* ? Ou *Fetch* ? Ou…

— Heu… je pensais plutôt aux échecs ou aux dames, répond-il, dépité.

— J'ai *Rayman* sur le mien, dit-elle en sortant sa propre tablette de son bagage à main. Vous allez voir, c'est très drôle.

— Ah. Bon. Vous êtes sûre ?

Une demi-heure plus tard, Albert télécharge *Rayman* sur son propre appareil, tandis qu'Émily lui avoue qu'elle logera dans un quartier appelé Le Marais.

— Mais il semble qu'il n'y ait pas de grenouilles dedans, ajoute-t-elle, faisant de nouveau sourire son voisin.

« Enfin, j'espère… »

31.

L'aéroport Paris-Charles-de-Gaulle est immense. Et la première chose que voit Émily, ce sont les oiseaux. Des moineaux voletant partout à l'intérieur comme si l'endroit était une grande volière.

« D'où viennent ces oiseaux ? Comment peuvent-ils vivre dans un aéroport ? »

— Ah, je vois ma valise, dit Albert en se penchant sur le carrousel à bagages pour l'attraper.

« Oh, mon Dieu, et si ma valise n'était pas là ? ! ! ! »

— Vous voyez la vôtre ? demande-t-il en posant son bagage sur un chariot.

— Non…

— Ne vous inquiétez pas, elle finira bien par arriver.

— J'espère ! Sinon je vais être prise pour porter la même robe pendant dix jours.

— Paris est la ville de la mode, vous n'auriez pas trop de soucis de ce côté...

— Quand même, Albert...

Émily aperçoit alors avec soulagement sa grosse valise rouge qui bascule sur le carrousel. Elle se précipite vers elle et tente de la tirer hors du tapis, mais rien à faire : elle est beaucoup trop lourde.

— Non mais, vas-tu débarquer, maudite valise trop pleine ?!

— Attendez, je vais vous aider, intervient son bienfaiteur en tirant et en ahanant pour extirper le bagage du carrousel. Mais... voulez-vous me dire... han... ce que... han... vous avez mis là-dedans ?

Albert tourne autour du carrousel en tenant la poignée de la valise d'Émily.

— Au secours ! blague-t-il, la faisant s'esclaffer.

Mais un bon samaritain vêtu d'un chandail de soccer aux couleurs de l'équipe italienne vient alors en aide au pauvre Albert et tire la valise à bout de bras. Le jeune homme dit quelque chose en italien qu'Émily ne comprend pas. Surprise, elle entend Albert lui répondre quelques mots dans la même langue, qui font bien rire l'amateur de soccer.

— Vous parlez italien ? Qu'avez-vous dit ? demande-t-elle en poussant son chariot à bagages en direction de la douane.

— Il croyait que vous étiez ma fille, rigole Albert. Je me suis empressé de lui dire que si vous étiez ma fille, je vous aurais appris à faire une valise intelligemment.

— Oh.

— J'aurais quand même bien aimé avoir une fille comme vous.

Émily sourit. Elle attend quelques instants en file à ses côtés, devant les douaniers. Elle est un peu inquiète et triture son passeport nerveusement.

« Et si on ne me laissait pas passer ? ! »

— Bonjour, mademoiselle. Vos papiers, s'il vous plaît, déclare le douanier derrière une vitre.

Émily sursaute en entendant l'accent de l'homme en face d'elle. Elle est bel et bien à Paris.

— Voilà, dit-elle en tendant son passeport et le visa que lui a procuré Lune.

— Vous voyagez seule ?

— Heu… oui.

— Vous êtes ici pour affaires ? Vous avez une dérogation et un visa de travail…

— Heu… oui.

Le douanier scrute longtemps le visa en fronçant les sourcils.

— Vous êtes jeune.

— Ah ? Heu. Oui.

Émily cherche le regard d'Albert, mais il est déjà passé de l'autre côté.

— Avez-vous quelque chose à déclarer ? Apportez-vous des denrées avec vous ?

« De quoi ? »

— Heu… non. J'ai… heu… j'ai des canneberges séchées dans mon sac. Je sais pas si…

— Des quoi ?

— Des canneberges.

— Montrez-moi, je vous prie, dit-il en soupirant comme si Émily l'exaspérait au plus haut point.

« Oh, mon Dieu ! » pense-t-elle en tendant son sac de canneberges d'une main tremblante. « Je vais me faire arrêter, je vais aller dans une prison parisienne avec des policiers parisiens. Et plus tard, on va faire un film sur mon histoire. »

— Oh, des cranberries ! fait le douanier en soupirant encore plus fort. C'est bon.

« Des quoi ? »

L'homme fait un geste sec vers l'avant avec la main. Émily ne bronche pas.

— Qu'est-ce que vous attendez ? Vous bloquez la file. Suivant !

« Oh ! »

Elle lui sourit, mais le douanier ne daigne même pas lui jeter un regard. Elle pousse donc son chariot en songeant que son premier contact avec un Parisien est vraiment nul. Elle retrouve avec soulagement son compagnon de voyage de l'autre côté des portes.

— Ça a bien été ?

— Il était bête !

— Ah ça ! Ce sont les risques de la douane. Et c'est ainsi partout dans le monde.

Émily sourit.

— C'est ici que l'on se sépare, jeune fille, dit Albert. Vous êtes certaine que quelqu'un vient vous chercher ?

— Oui oui, répond-elle en sentant la panique la gagner de nouveau. C'est ce qu'on m'a dit…

— Voulez-vous que j'attende avec vous quelques instants ?

Mais elle vient de remarquer que, parmi les gens amassés de l'autre côté de la sortie, certains brandissent de grands cartons sur lesquels des noms sont inscrits. Et parmi ceux-ci, elle repère deux mots qu'elle connaît bien : Émily Faubert.

— C'est mon nom là-bas ! s'écrie-t-elle avec enthousiasme. Vous voyez ?

Albert prend alors les deux mains d'Émily dans les siennes.

— Je vous souhaite bonne chance, mademoiselle Faubert. Mais, surtout, je vous souhaite de profiter pleinement de votre expérience ici. Profitez de la ville. Je penserai à vous au pont Pidou. Et puis, si ça vous dit pendant votre séjour, je serais très heureux d'avoir de vos nouvelles.

— OK, Albert. Promis.

Un vol de moineaux au-dessus de sa tête la fait sursauter, alors qu'Albert fend la foule avec sa valise. Elle le regarde disparaître et prend une grande inspiration.

« Paris, me voici. »

Elle pousse son chariot vers le jeune homme qui tient le carton. Celui-ci lui sourit. Son teint est tellement blanc que sa peau semble transparente, et on y distingue tout un réseau de veines et de veinules bleutées. Il porte un petit canotier qui cache ses cheveux.

— Bonjour, dit-elle, un peu déstabilisée par son allure étonnante.

— Tu es Émily Faubert ? demande le mort-vivant.

— Oui.

— Je m'appelle Jacques. Je suis l'agent de tournée, déclare-t-il en tendant la main vers elle.

— Tu es... heu...

« Un zombie ? »

— ... Québécois ?

— Ouais, répond Jacques. Mais j'habite ici depuis huit ans. J'ai eu un coup de foudre pour cette ville. Tu vas voir, tu vas adorer, ajoute-t-il. Mais laisse-moi ton chariot, je vais m'en occuper. Tu as faim ?

— Heu…

— Les repas d'avion, c'est dégueulasse, hein ?

— Ben… heu… ouais.

— Il y a une petite boulangerie juste ici, dit-il en montrant du doigt un comptoir dans le hall de l'aéroport. On peut prendre quelques minutes pour un café-croissant. Moi, je crève la dalle, en fait. Je me suis levé aux aurores pour venir te chercher. C'est ta première fois à Paris ?

« Je crève la quoi ? »

— Oui... Non ! Mais on va dire que oui, bredouille Émily, consciente que sa réponse n'est pas claire du tout.

— T'es zarbi, toi ! déclare Jacques en souriant.

Émily ne peut détacher son regard des lèvres très rouges de son interlocuteur. On dirait la bouche d'une représentante de Revlon. Puis elle réalise que les cils de Jacques sont tout blancs.

« Moi, je suis zarbi ?... »

Elle s'en veut maintenant de ne pas avoir pris davantage au sérieux les notes d'Emma sur le vocabulaire.

— T'es pas trop paniquée ? demande encore Jacques en poussant le chariot vers une table sur laquelle trois moineaux picorent des miettes.

— Heu… en fait oui, répond Émily en souriant timidement.

— Normal. En plus, t'es sur le décalage horaire. On peut prendre le temps de manger tranquillos, on se tape pas le trafic, puisqu'on prend le RER. Les autres du band sont déjà à l'hôtel.

— On prend le quoi ?

— Le métro. On va prendre le métro. Pour aller au centre-ville, c'est mieux.

— Le métro ? Avec tous mes bagages ? ! s'écrie Émily.

Jacques rit.

— Relaxe, ma vieille. C'est pas le métro de Montréal. Tu vas voir. C'est cool, ajoute-t-il en enlevant son chapeau et en ébouriffant ses cheveux blancs comme neige.

« C'est coule ? Tranquillos ? Un albinos ? »

Émily se laisse choir sur une chaise, épuisée par autant d'adaptations d'un coup. C'est alors qu'apparaît un vieil homme avec un accordéon juste à côté de sa table. Il se met à jouer et à chanter *La Pavane* d'une voix tremblante, tout en lui souriant. Émily éclate de rire.

— C'est *La Pavane* ! s'exclame-t-elle, extatique.

— Ah ouais.

— Pourquoi chante-t-il cette chanson pour moi ? demande-t-elle sans quitter des yeux le vieil homme qui chante devant elle. C'est arrangé ?

— Oh. Ben non. Ça arrive tout le temps. Partout. Dans le métro, sur les terrasses… Il veut de l'argent, c'est tout.

— Ah oui ? Wow. Je peux chanter avec lui ?

Jacques la regarde d'un drôle d'air.

— Ben, si tu veux…

Émily sourit au vieil homme et entame l'harmonie. Sa voix résonne dans l'aéroport. Le musicien jubile. Malgré la fatigue, malgré la peur, Émily chante pour la première fois à Paris. Quelques passants applaudissent. Le vieil homme lui embrasse la main.

Jacques l'observe étrangement.

— T'es spéciale, toi. Je comprends maintenant.

— Tu comprends quoi ? demande-t-elle.

— Rien, rien, répond-il, évasif. Au fait, j'ai un message pour toi, dit-il en lui tendant une feuille pliée en quatre.

— De monsieur Trahan ? De Jeff ? Ils sont déjà arrivés ?

Mais Jacques attaque son croissant avec appétit sans lui répondre. Émily déplie la feuille avec curiosité. Elle y découvre une écriture penchée, tracée avec un stylo bleu à pointe large.

Bienvenue à Paris, Émily.
Hâte de te rencontrer.
Lola Smith xx

Je tiens à remercier tous les fans qui m'écrivent et qui maintiennent la série vivante et dynamique sur Facebook ou ailleurs. Malgré les retards dans mes réponses, soyez assurés que je lis chacun d'entre vous avec bonheur et reconnaissance, dans l'espoir de répondre personnellement à tous et à toutes.

Merci à Michel Brûlé pour la confiance toujours renouvelée, merci à ma formidable et essentielle éditrice Marie-Noëlle Gagnon. Merci également à Élyse-Andrée Héroux et Patricia Juste qui apposent, avec leur souci des mots, une sérieuse couche de vernis à la série…

Merci enfin à Murielle Flynn et à Marie-Christine Lavallée pour leur soutien quotidien.

M
MARQUIS
Québec, Canada